Spanish Vocabulary by Topic

Geoff Taylor

MARY GLASGOW PUBLICATIONS

We are grateful to the following for allowing us to reproduce published material:

Banco de Bilbao (p. 69), Centro Médico Delicias (p. 68), Centro Técnico Videosón (p. 60), Consorcio Regional de Transportes de Madrid (cover), Cooperativa de Viviendas (p. 16), El Correo Gallego (p. 16), Dirección Central de Tráfico, (p. 44), Glaxo (p. 67), La Gruta (p. 28), Guía Telefónica (p. 73), Martinelli (p. 60), Museo Nacional de Ciencias Naturales (p. 28), Oficina de Información del Metro (cover), Oficina de Turismo de Benidorm (p. 76), El País (cover, pp. 16, 20, 27, 35, 68), Química Farmacéutica Bayer (p. 67), Renfe (p. 42), Ya (pp. 20, 29, 35, 78), Ya Dominical (cover, p. 31), Zoo de la Casa de Campo (p. 28).

The author would like to thank the following for their assistance: Ana Saborido Rey (Madrid), Juan Manuel Carretero Alvarado (Jerez), Isolina Gómez Medrano (Santiago), Carmen Peña (Casa Carmen, Durham City), Margaret Newton for typing the manuscript, Sheila and Alan Jeffreys for providing photographic material.

Design: Penny Mills

First published 1990. Reprinted 1990, 1993, 1994
ISBN 1-85234-302-8

Mary Glasgow Publications
An imprint of Stanley Thornes (Publishers) Ltd
Ellenborough House
Wellington Street
Cheltenham GL50 1YD

Photoset in Plantin with Helvetica by Photoprint,
Torquay, Devon
Printed and bound in Great Britain by Martins The Printers, Berwick.

Contents

Introduction

This short vocabulary book has one simple aim – to give you a topic-by-topic checklist of the words you will need to know for your examination.

The vocabulary within each topic area is divided into **Basic** and **Higher** sections which are in turn followed by **Basic Phrases** and **Higher Phrases**. These will help you to see words in context and many will also be useful in your preparation for the oral examination.

Masculine words are preceded by *el* (the) or *un* (a), while feminine words are preceded by *la* (the) or *una* (a). Any exceptions are clearly marked, for example, *el agua (f)*.

Most adjectives (describing words) are given in the masculine form which usually ends in *o*. The feminine form ends in *a* in Spanish, for example *buena* instead of *bueno*.

Common irregular and radical (stem)-changing verbs are marked * and the first person of the present tense is given. For example, *dormir* (*duermo*).

As far as possible, the words have not been listed in long alphabetical chunks; rather, they are grouped in short sections that have a common theme. This is designed to make your learning more logical and to make it easier for your teacher to set learning or revision home-works.

Spanish Vocabulary by Topic may be used either in conjunction with course books, or on its own as a means of revision or consolidation. It is not intended to be a teaching book, nor can it be totally comprehensive. However, there is no doubt that if you know a large percentage of the words in this book, then this will certainly help you in all areas of the examination. Learning vocabulary is only one part of preparing for an exam, but I hope that this book will at least make it seem relevant to the topic which is being studied and that the signs, notices and photos will help to show its importance in real-life situations.

Good luck!

1 Talking about yourself and others

Personal details

to be called	llamarse		street	la calle
name	el nombre		avenue	la avenida
surname	el apellido		broad avenue	el paseo
identity	la identidad		village	la aldea
age	la edad		town	el pueblo
birthday	el cumpleaños		city	la ciudad
birth	el nacimiento		to be English	ser inglés (inglesa)
place	el lugar		to speak English	hablar inglés
year	el año		to spell	deletrear
date	la fecha		to sign	firmar
address	la dirección,			
	el domicilio			

HIGHER VOCABULARY

number	el número		detail	el detalle
telephone	el teléfono		aged	de edad
sex	el sexo		teenager	el/la joven
masculine	masculino		grown up	una persona mayor
feminine	femenino		of age (18 and over)	mayor de edad
married	casado		minor (under 18)	menor de edad
single	soltero		to be born	nacer
young	joven		outside of	fuera de
old	viejo		near to, close to	junto a, próximo a
younger (than)	menor (que)		marital status	el estado civil
older (than)	mayor (que)		address	las señas (f)
adult	el adulto		signature	la firma

BASIC PHRASES

I'm called John and I'm 15	Me llamo Juan y tengo quince años
I was born in London in 1972	Nací en Londres en 1972
I live in Leeds in Yorkshire	Vivo en Leeds en Yorkshire
Raquel is my younger sister	Raquel es mi hermana menor
My birthday is on May 21st	Mi cumpleaños es el 21 de mayo

HIGHER PHRASES

My surname is Smith	**Mi apellido es Smith**
I have a brother who is 16 years old	**Tengo un hermano que tiene 16 años**
Can you spell it for me?	**¿Puede deletrearlo?**
I live out of town	**Vivo en las afueras**

What are you being asked to fill in on this form?

nombre ....

lugar y fecha de nacimiento ....

domicilio ....

número de teléfono ....

estado civil ....

Nationality

BASIC VOCABULARY

England	**Inglaterra**	Belgium	**Bélgica**
English	**inglés (inglesa)**	Belgian	**belga**
Spain	**España**	Canada	**el Canadá**
Spanish	**español (española)**	Canadian	**canadiense**
United States	**los Estados Unidos**	France	**Francia**
American	**norteamericano**	French	**francés (francesa)**
		Holland	**Holanda**
Great Britain	**Gran Bretaña**	Dutch	**holandés (holandesa)**
British	**británico**	Italy	**Italia**
Scotland	**Escocia**	Italian	**italiano**
Scottish	**escocés (escocesa)**	Portugal	**Portugal**
Wales	**Gales**	Portuguese	**portugués**
Welsh	**galés (galesa)**		**(portuguesa)**
Ireland	**Irlanda**	Europe	**Europa**
Irish	**irlandés (irlandesa)**	European	**europeo**
		foreigner	**el extranjero**
Germany	**Alemania**		**(la extranjera)**
German	**alemán (alemana)**	passport	**el pasaporte**

HIGHER VOCABULARY

Switzerland	**Suiza**		Mexico	**Méjico**
Russia	**Rusia**		Greece	**Grecia**
Russian	**ruso**		means of	**una prueba de**
United Kingdom	**el Reino Unido**		identification	**identidad**

BASIC PHRASES

I am English	**Soy inglés (inglesa)**
I speak English	**Hablo inglés**
I was born in Scotland	**Nací en Escocia**
My father works abroad	**Mi padre trabaja en el extranjero**
I am going abroad	**Voy al extranjero**

HIGHER PHRASES

What nationality are you?	**¿De qué nacionalidad eres?**
Where do you come from?	**¿De dónde eres?**
Have you any means of identification?	**¿Puede usted identificarse?**

Appearance

BASIC VOCABULARY

white	**blanco**		pretty	**bonito**
black	**negro**		long	**largo**
blond	**rubio**		short	**corto**
brown (eyes)	**marrón**		big	**grande**
brown (hair)	**moreno**		small	**pequeño**
grey	gris		tall	alto
yellow	**amarillo**		short (person)	**bajo**
blue	**azul**			
green	**verde**		strong	**fuerte**
red	**rojo**		weak	**débil**
pink	**rosa**		fat	**gordo**
orange	**color naranja**		thin	**delgado**
dark brown/chestnut	**castaño**			
			size	**el tamaño**
hair	**el pelo**		awful	**fatal, horrible**
eyes	**los ojos**		colour	**el color**
glasses	**las gafas**		dark (-haired,	**moreno**
			-skinned)	
pale	**pálido**		ugly	**feo**
handsome, beautiful	**guapo**			

HIGHER VOCABULARY

suntanned	**bronceado**	sporty	**deportivo**
red-haired	**pelirrojo**	straight (hair)	**lacio** ⊕
		curly	**rizado**
to seem	**parecer★ (parezco)**		
smart	**elegante**	fragile/delicate	**delicado**
to recognise	**reconocer**	sturdy	**robusto**
to resemble	**parecerse★ a**	fit/healty	**sano**
	(parezco)	similar	**parecido, semejante**

BASIC PHRASES

I have blue eyes and brown hair	**Tengo los ojos azules y el pelo castaño**
I am fairly tall and slim	**Soy bastante alto y delgado**
I don't wear glasses	**No llevo gafas**

HIGHER PHRASES

I'm average size	**Soy de tamaño mediano**
I look like my mother	**Me parezco a mi madre**
How nice you look!	**¡Qué guapa estás!**

Character and feelings

BASIC VOCABULARY

pleasant	**agradable**	to laugh	**reírse★ (me río)**
nice, likeable	**simpático**	to smile	**sonreírse★**
good	**bueno**		**(me sonrío)**
bad	**malo**	to cry	**llorar**
wonderful	**estupendo,**	I'm fed up	**estoy harto**
	fenomenal	I'm bored	**me aburro**
kind	**amable**	calm, quiet	**tranquilo**
happy	**feliz**	polite	**cortés (cortesa)**
funny	**divertido**	odd, strange	**raro**
silly	**tonto**	lazy	**vago, perezoso**
mad	**loco**		
poor	**pobre**	to be in a good mood	**estar de buen humor**
shy	**tímido**	to be in a bad mood	**estar de mal humor**
sad	**triste**	famous	**famoso, célebre**
sure	**seguro**	serious	**serio**
fairly	**bastante**	talkative	**hablador (habladora)**
very	**muy**	well known	**conocido**
		natural	**natural**
to like	**gustar**	normal	**normal**

HIGHER VOCABULARY

capable	**capaz**
confidence	**la confianza**
unpleasant	**desagradable**
how disgusting	**¡qué asco!**
unbearable	**insoportable**
anxious, worried	**preocupado**
character	**el carácter**
curiosity	**la curiosidad**
surprising	**sorprendente**
proud	**orgulloso**
skilful	**hábil**

unpleasant, unfriendly (person)	**antipático**
honest	**honrado**
stubborn	**terco, testarudo**
jealous	**celoso**
optimistic	**optimista**
pessimistic	**pesimista**
unhappy	**infeliz**
affectionate, loving	**cariñoso**
naughty	**travieso**

BASIC PHRASES

What is your father like?	**¿Cómo es tu padre?**
I'm frightened	**Tengo miedo**
In my opinion	**A mi parecer, en mi opinión**
I think she is quite clever	**Creo que es bastante inteligente**
I think so	**Creo que sí**
I don't think so	**Creo que no**
I hope so	**Espero que sí**
I hope not	**Espero que no**
Normally I am lazy	**Por lo general soy vago(a)**

HIGHER PHRASES

I get on well with my sister	**Me llevo bien con mi hermana**
I fancy going for a walk	**Me apetece dar un paseo**
I feel like eating a steak	**Tengo ganas de comer un bistec**
I feel a bit sad	**Me siento un poco triste**

Daily routine

BASIC VOCABULARY

to wake up	**despertarse* (me despierto)**
to get up	**levantarse**
to get washed	**lavarse**
to get dressed	**vestirse* (me visto)**
to put on	**ponerse* (me pongo)**
to make the bed	**hacer* la cama (hago)**

to have breakfast	**desayunar**
breakfast	**el desayuno**
to prepare a meal	**preparar la comida**
to do the cooking	**cocinar**
to set the table	**poner* la mesa (pongo)**
to eat	**comer**
to drink	**beber**

BASIC VOCABULARY

lunch	la comida, el almuerzo
supper	la cena
to do the washing up	fregar⋆ los platos (friego), lavar los platos
to help	ayudar
to work	trabajar
to do the shopping	hacer la compra⋆ (hago)
to clean	limpiar
to wash to clothes	lavar la ropa
to iron	planchar
to tidy up	arreglar, ordenar
to enjoy oneself	divertirse⋆ (me divierto)
to listen to	escuchar
to watch TV	ver la tele
to play (game)	jugar⋆ (juego)
to play (instrument)	tocar
to read	leer
to sew	coser
to rest	descansar
free	libre
weekend	el fin de semana
to visit	visitar
to go out	salir⋆ (salgo)
to return home	volver⋆ (vuelvo)
to do homework	hacer⋆ la tarea los deberes (hago)
to write	escribir
to wash one's hair	lavarse el pelo
to have a bath	bañarse
to have a shower	ducharse
to sit down	sentarse⋆ (me siento)
to get undressed	quitarse la ropa
to sleep	dormir⋆ (duermo)
to fall asleep	dormirse⋆ (me duermo)

first of all	primero
finally	por fin
usually	por lo general, normalmente
then	entonces
next	luego
sometimes	a veces

HIGHER VOCABULARY

to vacuum	pasar la aspiradora
to peel	pelar
to be busy with	ocuparse de, estar⋆ ocupado con (estoy)
the housework	los quehaceres domésticos
to knit	hacer⋆ punto (hago)
to have a snack	merendar⋆ (meriendo)
a snack	una merienda
to comb one's hair	peinarse
to brush one's hair	cepillarse el pelo
to lend a hand	echar una mano
to clear the table	quitar la mesa
to use	utilizar
to disturb	molestar
to return home	regresar a casa
to go for a walk	dar⋆ un paseo (doy)
to go for a stroll	dar⋆ una vuelta (doy)
to be sleepy	tener⋆ sueño (tengo)
to be tired	estar⋆ cansado (estoy)
to shave	afeitarse
alarm clock	el despertador
to get up early	madrugar
to be late	retrasarse

BASIC PHRASES

I normally get up at about seven o'clock	**Suelo levantarme a eso de las siete**
What time do you go to bed?	**¿A qué hora te acuestas?**
I do the washing up and ironing, but I don't like to	**Lavo los platos y plancho, pero no me gusta**
My mother usually prepares the dinner	**Por lo general mi madre prepara la comida**

HIGHER PHRASES

Can I give you a hand?	**¿Puedo ayudarte?**
After getting changed, I walk the dog	**Despué de cambiarme de ropa, llevo al perro de paseo**
I use weekends to sleep in	**Aprovecho los fines de semana para dormir tarde**
While I'm doing my homework I listen to music	**Mientras hago los deberes, escucho la música**
I have to be back home before 11 o'clock	**Tengo que estar de vuelta en casa antes de las once**

Family

BASIC VOCABULARY

family	**la familia**	friend	**el amigo (la amiga)**
parents	**los padres**	boy	**el chico**
father	**el padre**	girl	**la chica**
mother	**la madre**	child	**el niño (la niña)**
brother	**el hermano**	baby	**el bebé**
sister	**la hermana**	man	**el hombre**
son	**el hijo**	woman	**la mujer**
daughter	**la hija**		
		fiancé(e)	**el novio (la novia)**
grandparents	**los abuelos**	mum	**mamá**
grandfather	**el abuelo**	dad	**papá**
grandmother	**la abuela**	husband	**el marido**
uncle	**el tío**	wife, woman	**la mujer**
aunt	**la tía**		

(BASIC VOCABULARY)

nephew	el sobrino
niece	la sobrina
grandson	el nieto
granddaughter	la nieta
a companion, friend	un compañero (una compañera)
people	la gente
divorced	divorciado
separated	separado
married	casado
single	soltero
to marry	casarse con
only	único

HIGHER VOCABULARY

to get on with someone	llevarse con
neighbour	el vecino (la vecina)
the oldest	el mayor (la mayor)
to argue	discutir
brother-in-law	el cuñado
sister-in-law	la cuñada
father-in-law	el suegro
mother-in-law	la suegra
son-in-law	el hijo político
daughter-in-law	la hija política
husband	el esposo
wife	la esposa
married couple	el matrimonio
widowed	viudo
retired	jubilado
spoilt	mimado

BASIC PHRASES

What's your dad's job?	¿En qué trabaja tu padre?
I am an only child	Soy hijo único (hija única)
I don't have any brothers	No tengo hermanos
but I have one sister	pero tengo una hermana
Pleased to meet you!	¡Encantado!, ¡Mucho gusto!
This is my mother	Te presento a mi madre
I don't know your brother	No conozco a tu hermano

HIGHER PHRASES

Most of my relatives live in Scotland	La mayor parte de mis parientes viven en Escocia
How do you get on with your sister?	¿Qué tal te llevas con tu hermana?
My grandfather is dead	Mi abuelo está muerto
We have been going out together for six months, more or less	Salimos juntos desde hace seis meses, más o menos
My sister has been married for a year	Mi hermana lleva un año casada

2 House and home

General description

amplio – spacious

to live	**vivir**	neighbourhood,	**el barrio**
a flat	**un piso**	district	
a house	**una casa**	suburbs	**el suburbio**
a villa	**un chalet**	entrance	**la entrada**
a block of flats	**un bloque,**	to enter	**entrar**
	una manzana	to come	**venir* (vengo)**
		at Juan's home	**en casa de Juan**
to like	**gustar**		
to love	**encantar, amar**	near to	**cerca de**
to hate	**odiar**	far from	**lejos de**
to decorate	**decorar**	building	**el edificio**
		inside	**el interior**
		outside	**el exterior**
old	**viejo**		
old, ancient	**antiguo**	noise	**el ruido**
new	**nuevo**	noisy	**ruidoso**
modern	**moderno**	quiet, peace	**la tranquilidad**
super	**estupendo,**	quiet	**tranquilo**
	fenomenal	to rent	**alquilar**
big	**grande**	rent	**el alquiler**
small	**pequeño**	to move house	**mudarse,**
comfortable	**cómodo**		**mudar de casa**
uncomfortable	**incómodo**	to build	**construir***
pleasant	**agradable**		**(construyo)**
lovely	**bonito, precioso**		
expensive	**caro**	narrow	**estrecho**
cheap	**barato**	broad	**ancho**
		perfect	**perfecto**
garden	**el jardín**	awful	**horrible, fatal**
flower	**la flor**	practical	**práctico**
tree	**el árbol**	typical	**típico**
view	**la vista**	ugly	**feo**
floor, storey	**el piso**	dirty	**sucio**
ground floor	**la planta baja**	clean	**limpio**
roof	**el techo**	useful	**útil**

leara :

HIGHER VOCABULARY

painted (in)	**pintado (de)**	odd	**raro**
lodgings	**el alojamiento**	to grow	**cultivar**
downstairs	**abajo**	to water	**regar★ (riego)**
upstairs	**arriba**	grass	**la hierba**
comfort	**el confort**	to look out onto	**dar a**
the outskirts	**las afueras**	tiled roof	**el tejado**
condition	**el estado**	bush	**el arbusto**
to be in good	**estar★ en buen**	lawn	**el césped**
condition	**estado (estoy)**	at the back	**al fondo**
		lift	**el ascensor**
		stairs	**las escaleras**

BASIC PHRASES

What is your flat/house like?	**¿Cómo es tu piso/casa?**
It is quite big	**Es bastante grande**
It has two storeys	**Tiene dos pisos**
I like living there	**Me gusta vivir allí**
There is a small garden in front of the house	**Hay un pequeño jardín delante de la casa y**
and another bigger one behind	**otro más grande detrás**

HIGHER PHRASES

I have lived here for ten years	**Hace diez años que vivo aquí**
What I like most about my neighbourhood is	**Lo que más me gusta de mi barrio es el**
the atmosphere	**ambiente**
My house is painted white	**Mi casa está pintada de blanco**
Our bedroom looks out onto the street	**Nuestro dormitorio da a la calle**

What is on offer in these advertisements?

Rooms and services

BASIC VOCABULARY

room	la habitación		floor	el suelo
dining room	el comedor		own	propio
living room	el salón, el cuarto de estar		corridor	el pasillo
			balcony	el balcón
bedroom	el dormitorio		hearth, fireplace	la chimenea
bathroom	el cuarto de baño		fire	el fuego
kitchen	la cocina		radiator	el radiador
			lift	el ascensor
main	principal		terrace	la terraza
a bath	un baño			

main	principal
a bath	un baño
a shower	una ducha
stairs	la escalera
garage	el garaje
toilet	el wáter, el aseo

HIGHER VOCABULARY

cellar	el sótano
hall	el vestíbulo
to sweep	barrer
to wipe	enjugar
to work, to function	funcionar
ceiling	el techo
to lock	cerrar* con llave (cierro)
to share	compartir
private	particular
corner (inside)	el rincón
lock	la cerradura
toilet	el retrete
attic	el desván
wallpapered	empapelado
underground car park	un parking subterráneo
bell	el timbre

gas	el gas
water	el agua (f)
electricity	la electricidad
central heating	la calefacción central
light	la luz
to switch on	encender* (enciendo)
to switch off	apagar
match	un fósforo, una cerilla
door	la puerta
window	la ventana
wall (inside)	la pared
patio	el patio

BASIC PHRASES

On the first floor there are three bedrooms	En el primer piso hay tres dormitorios
Where is the bathroom?	¿Dónde está el cuarto de baño?
I have my own bedroom	Tengo mi propio dormitorio

HIGHER PHRASES

The light doesn't work	No funciona la luz
Make yourself at home!	¡Estás en tu casa!
My room is always in a mess	Mi dormitorio está siempre en desorden (desordenado)

Furniture and equipment

BASIC VOCABULARY

bed	la cama
chair	la silla
wardrobe	el armario
lamp	la lámpara
desk	el pupitre
poster	el póster
carpet	la alfombra
blanket	la manta
gas cooker	la cocina de gas
electric cooker	la cocina eléctrica
fridge	la nevera
sink	el fregadero
(automatic) washing machine	la lavadora (automática)
bath	el baño
shower	la ducha
mirror	el espejo
wash basin	el lavabo
soap	el jabón
towel	la toalla
shampoo	el champú
comb	el peine
brush	el cepillo
toothbrush	el cepillo de dientes
toothpaste	la pasta de dientes
hairdryer	le secadora
cutlery	los cubiertos
knife	el cuchillo
fork	el tenedor
spoon	la cuchara
plate	el plato
saucer	el platillo
cup	la taza
glass	el vaso
jug, jar	la jarra
tablecloth	el mantel

furniture	los muebles
sofa	el sofá
armchair	el sillón, la butaca
TV set	el televisor
telephone	el teléfono
cassette	el cassette
computer	el ordenador
record player	el tocadiscos
record	el disco
radio	la radio
transistor radio	el transistor
bookcase	la librería
picture	el cuadro
photo	la foto
video	el vídeo
piano	el piano
clock	el reloj
curtain	la cortina

HIGHER VOCABULARY

pillow	la almohada
sheet	la sábana
single bed	la cama individual
double bed	la cama de matrimonio
bedside table	la mesilla de noche
dressing table	el aparador
shelf	el estante
chest of drawers	la cómoda
a drawer	un cajón
toilet	el retrete
bidet	el bidé
sideboard	el aparador
cushion	el cojín
furnished	amueblado
blind, shutter	la persiana

(HIGHER VOCABULARY)

saucepan	**la cacerola**	dishwasher	**el lavaplatos,**
frying pan	**la sartén**		**el lavavajillas**
oven	**el horno**	freezer	**el congelador**
microwave oven	**el horno de**	fridge	**el frigorífico**
	microondas	tap	**el grifo**

BASIC PHRASES

Can I help you to do the washing up?	**¿Te puedo ayudar a lavar los platos?**
The transistor radio is not working	**El transistor no funciona**
I clean my teeth after breakfast	**Me lavo los dientes después de desayunar**

HIGHER PHRASES

The flat is fully furnished	**El piso está completamente amueblado**
Is this the tablecloth?	**¿Es éste el mantel?**
I've got posters of my favourite football team on the wall	**Tengo pósters de mi equipo de fútbol favorito en la pared**

Do you understand what these labour-saving devices are?

What is being said about them to try to get you to buy them?

MODELO TBF 16 S

- Frigorífico NO FROST con una capacidad total de 423 litros. Congelador de 129 litros.
- 1 cajón en todo el ancho del frigorífico para frutas y verduras.
- Control independiente de temperatura en el ... y en el congelador.
- ... arato preparado para instalar "ICE ... cador automático de cubitos de hielo. ... 163 cm. Ancho, 71 cm. Fondo, 67,5 cm.

HORNO MICROONDAS COMBINADO M-700. EL AYUDANTE POLIVALENTE (Novedad)

El M-700 prácticamente es capaz de todo –rápido y ahorrando energía–: Descongelar, cocinar, cocer repostería, asar al grill y calentar.
Constituye la alternativa perfecta para los hogares con pocas personas, las minicocinas y casas de campo.

LOS LAVAVAJILLAS MIELE. PARA MIELE LO MEJOR ES LO UNICO ACEPTABLE

MIELE, la marca más vendida en Europa, señala la pauta en la fabricación de lavavajillas. Dotados de los mayores adelantos técnicos, son siempre imitados pero nunca igualados.
Ante todo silenciosos: muy silenciosos. Con potente bomba propulsora. Presión automática del agua de lavado. Sistemas ... filtro y "Waterproof". Piezas más importantes en acero ... para detergente. Fácil

Animals

BASIC VOCABULARY		HIGHER VOCABULARY	
animal	el animal	tortoise	la tortuga
a pet	un animal doméstico	budgerigar	el periquito
cat	el gato	cage	la jaula
dog	el perro	goldfish	el pez de colores
hamster	el hámster	fish tank	la pecera
guinea pig	el cobayo, el conejo de Indias		
		sheep	la oveja
mouse	el ratón	lamb	el cordero
bird	el pájaro	pig	el cerdo
rabbit	el conejo	cow	la vaca
fish	el pez	goat	la cabra
fishes	los peces	hen	la gallina
canary	el canario	wolf	el lobo
snake	la serpiente	lizard	el lagarto
horse	el caballo	bee	la abeja
donkey	el burro	wasp	la avispa
bull	el toro	cockroach	la cucaracha
fly	la mosca	cricket	el grillo

What do these signs and adverts mean?

PROHIBIDO PERROS SUELTOS

ANIMALES

Gatitos persas, pedigree, campeones. ☎ 239 54 14.

What does this lost dog look like?

PERROS

● RESIDENCIA canina. Reserva El Rincón. Infórmese, visítenos. 2166657, 8620657.
● RESIDENCIA-adiestramiento. 8410950.
● GARDEN-CAN. Residencia canina. 8156596.
● HOTEL Barajas. 7477366.
● COLLIES (Lassie). 2304990, 8130142.
● ADIESTRAMIENTOS Verdú. Profesionalidad. 4640377.
● LABRADORES, cachorros. 8110652.
● YORKSHIRE superselección. 2744038, 6581362.
● COCKER, teckel campeones. 2744038, 6581362.
● PASTORES alemanes, doberman, cachorros adiestados. 2744038, 6581362.
● BICHON frise. 2744038, 6581362.

Pérdidas

PERDIDA en zona Almagro-Castellana perra mestiza de alzada media, pelo corto y color negro y canela. Atiende por «Laila». Lleva collar de cadena con tira de cuero verde. Se recompensará devoluvion. ☎ 4193520.

3 School

School and the school day

primary school	la escuela	work	el trabajo
secondary school (state)	el instituto	homework	los deberes
		an exercise	un ejercicio
secondary school (private)	el colegio		
		to explain	explicar
class	la clase	uniform	el uniforme
classroom	la clase	strict	severo
staffroom	la sala de profesores		
gymnasium	el gimnasio	exam	el examen
canteen	el comedor, la cantina	to study	estudiar
		to learn	aprender
laboratory	el laboratorio	to know	saber
office	la oficina	question	la pregunta
study	el despacho	to ask	preguntar
library	la biblioteca	to answer	contestar, responder
workshop	el taller	problem	el problema
		to repeat	repetir* (repito)
mixed	mixto	to practise	practicar
masculine	masculino	lesson	la clase
feminine	femenino	to last	durar
to write	escribir	to start	empezar* (empiezo)
to read	leer		comenzar* (comienzo)
book	el libro		
exercise book	el cuaderno	to finish	terminar
pen	el bolígrafo	break	el recreo
pencil	el lápiz	to go out	salir
paper	el papel	the yard	el patio
blackboard	la pizarra	to play	jugar* (juego)
rubber	la goma	to chat	charlar
		friend	el amigo (la amiga), el compañero (la compañera)
head	el director (la directora)		
teacher	el profesor (la profesora)		
pupil	el alumno (la alumna)	lunch-hour	la hora de comer
		lunch	la comida

21

(BASIC VOCABULARY)

holidays	las vacaciones	to make an effort	esforzarse* (me esfuerzo)
a day off	una fiesta	to behave	comportarse
page	la página	to punish	castigar
timetable	el horario	a punishment	un castigo
error, mistake	la falta	a boarder	un interno (una interna)
student	un estudiante	someone who goes home for lunch	un externo (una externa)
term	el trimestre		
rule	la regla	to revise/go through notes	repasar los apuntes
course, year at school	el curso		
Holy Week	Semana Santa	to be good at	estar* fuerte en (estoy)
Christmas	Navidad		
absent	ausente	to be bad at	estar* flojo en
present	presente	to type	escribir a máquina
to be absent	faltar		
corridor	el pasillo	education	la enseñanza
		teacher	el maestro (la maestra)

HIGHER VOCABULARY

to attend	asistir a	classroom	el aula (f)
to follow a course	seguir* un curso (sigo)	school-leaving exam	el bachillerato (BUP)
to get good marks	sacar buenas notas	bell	el timbre
to get bad marks	sacar malas notas	to ring	sonar* (sueno)
to pass (exam)	aprobar* (apruebo), salir* bien (salgo)	to call the register	pasar lista
		an effort	un esfuerzo
to fail (exam)	suspender, salir* mal (salgo)	to translate	traducir* (traduzco)
to be successful	tener éxito* (tengo)	to disobey	desobedecer* (desobedezco)
		disobedient	desobediente

BASIC PHRASES

My school is big – there are 1200 pupils	Mi instituto es grande – hay mil doscientos alumnos
If it's fine I go to school on my bike	Si hace buen tiempo voy al instituto en bicicleta
Classes start at 9.10	Las clases empiezan a las nueve y diez
I do my homework at 7.30	Hago los deberes a las siete y media
I have to wear a uniform	Tengo que llevar uniforme

HIGHER PHRASES

It takes me half an hour to get there	**Tardo una media hora en llegar**
The teachers are quite nice but strict	**Los profesores son bastante simpáticos pero estrictos**
I don't have my lunch at school because the food is awful	**No como en el instituto porque la comida es fatal**
I play the clarinet in the orchestra	**Toco el clarinete en la orquesta**

School subjects

BASIC VOCABULARY

a subject	**una asignatura**
languages	**las lenguas**
German	**el alemán**
English	**el inglés**
Spanish	**el español**
French	**el francés**
science	**las ciencias**
biology	**la biología**
chemistry	**la química**
physics	**la física**
maths	**las matemáticas**
computer studies	**la informática**
a computer	**un ordenador**
history	**la historia**
geography	**ia geografía**
music	**la música**
religion	**la religión**
handicrafts	**los trabajos manuales**
cookery	**la cocina**
dressmaking	**el corte**
sewing	**la costura**
technology	**la tecnología**
art	**el arte**
drawing	**el dibujo**
commerce	**el comercio**
PE	**la educación física**

typing	**la mecanografía**
sports	**los deportes**
gymnastics	**la gimnasia**

What subjects is this pupil doing at school?

MATERIAS	(11)
matemáticas	7
historia	6
geografía	6
lengua española	9
inglés	8
informática	7
ciencias	7
educación física	8
dibujo	4

(BASIC VOCABULARY)

important	**importante**		excellent	**sobresaliente**
useful	**útil**		very good	**notable**
interesting	**interesante**		good	**bien**
enjoyable	**divertido**		satisfactory	**suficiente**
easy	**fácil**		poor	**insuficiente**
difficult	**difícil**		very poor	**deficiente**
boring	**aburrido**			
to hate	**detestar**			

Greek	**el griego**			
Latin	**el latín**		## HIGHER VOCABULARY	
Italian	**el italiano**		exhausting	**agotador (agotadora)**
Russian	**el ruso**		compulsory	**obligatorio**
literature	**la literatura**		optional	**optativo**

BASIC PHRASES

I prefer drawing	**Me gusta más el dibujo**
I don't like geography at all	**No me gusta nada la geografía**
I'm good at maths	**Estoy fuerte en matemáticas**
What subjects do you like?	**¿Cuáles asignaturas te gustan?**

HIGHER PHRASES

I have been studying Spanish for 3 years	**Hace tres años que estudio el español**
I find science difficult	**Encuentro difíciles las ciencias**
What do you think about physics?	**¿Qué te parece la física?**

Plans for the future

BASIC VOCABULARY

ambition	**la ambición**		after	**después**
idea	**la idea**		other	**otro**
plan, project	**el plan**		probably	**probablemente**
to look for	**buscar**		perhaps	**quizás**
work	**el trabajo**		it depends	**depende**
a job	**un puesto**		impossible	**imposible**
to hope	**esperar**		interesting	**interesante**
to decide	**decidir**			

(BASIC VOCABULARY)			
a company	una compañía	salary	el sueldo
a factory	una fábrica		
		permanent	permanente
a profession	una profesión	temporary	temporal
a career	una carrera	to work part-time	trabajar por horas
an employee	un empleado		
	(una empleada)	capable	capaz
		to succeed, to manage to	lograr

HIGHER VOCABULARY			
		it is better	más vale
to intend to	tener* la intención de (tengo)	to advise	aconsejar
		unemployed	parado
to keep on studying	seguir* estudiando (sigo)	to get married (to)	casarse (con)
		to do military service	hacer la mili
to get	obtener* (obtengo), conseguir* (consigo)	military service	el servicio militar
		a trade union	un sindicato
a firm	una empresa	the advantages	las ventajas
to earn	ganar	the disadvantages	los inconvenientes

BASIC PHRASES

I don't know, it all depends	No lo sé, depende
I want a well-paid job	Quiero un puesto que se paga bien
I would like to work abroad	Quisiera trabajar en el extranjero

HIGHER PHRASES

Next year I will work in a shop	El año que viene trabajaré en una tienda
I'm attracted by a career in computers	Me atrae una carrera trabajando con ordenadores
I've been advised to study sciences	Me han aconsejado estudiar ciencias
I haven't any idea	¡Ni idea!
You never know, do you?	¿Nunca se sabe, verdad?
I still don't know what I want to do	Todavía no sé exactamente qué quiero hacer

4 Free time and entertainment

Leisure time and hobbies

BASIC VOCABULARY
---

free time	**el tiempo libre, el rato libre**
hobby	**el pasatiempo**
to like	**gustar (me gusta)**
to love	**encantar (me encanta)**
to be interested in	**interesar (me interesa)**
to enjoy oneself	**divertirse★ (me divierto)**
to have a good time	**pasarlo bien**
to get bored	**aburrirse**
sometimes	**a veces**
often	**a menudo**
always	**siempre**
to draw	**dibujar**
to paint	**pintar**
dance	**el baile**
party	**la fiesta**
to dance	**bailar**
record	**el disco**
disco	**la discoteca**
dance hall	**la sala de fiestas**
record player	**el tocadiscos**
cassette	**el cassette**
tape recorder	**el magnetofón**
to listen to music	**escuchar la música**
to listen to records	**oír★ discos (oigo)**
(musical) instrument	**el instrumento (musical)**
to play the guitar	**tocar la guitarra**

to play tennis	**jugar★ al tenis (juego)**
collection	**la colección**
to collect	**coleccionar**
to visit	**visitar**
to go out	**salir★ (salgo)**
trip	**la excursión**
to go on a trip	**hacer★ una excursión (hago)**
to go for a walk	**dar★ un paseo (doy)**
to go for a stroll	**dar★ una vuelta (doy)**
stroll (in street)	**el paseo**
to go for a bike ride	**dar★ un paseo en bicicleta (doy)**

What is being advertised here?

26

(BASIC VOCABULARY)		HIGHER VOCABULARY	
to take pictures	**sacar fotos**	to have the time	**tener* el tiempo**
camera	**la máquina (de fotos)**		**(tengo)**
toy	**el juguete**	reading	**la lectura**
game	**el juego**	painting	**la pintura**
to play cards	**jugar* a las cartas**	drawing	**el dibujo**
	(juego)	classical	**clásico**
athletic	**deportivo**	popular	**popular**
club	**el club**	drums	**la batería**
		chess	**el ajedrez**
to read	**leer**	in the open air	**al aire libre**
newspaper	**el periódico**		
magazine	**la revista**	daily	**diario**
to watch	**mirar**	weekly	**semanal**
to watch TV	**ver la tele**	monthly	**mensual**
programme	**el programa**	night on the town	**la juerga**
lottery	**la lotería**	to go for a stroll	**pasearse**
prize	**el premio**	cards	**los naipes**
jackpot	**el premio gordo**	exhibition	**la exposición**
		member (of club)	**el socio, el miembro**
advertisement	**el anuncio**	to make models	**construir* maquetas**
except	**salvo**		**(construyo)**
from time to time	**de vez en cuando**		

According to these extracts from the _What's On_ section of a Spanish newspaper, what can you see and do?

VARIOS

Acuarium Madrid. ☎ 531 81 72 / Maestro Vitoria, 8. Metro Callao.
—Exposición viva de pirañas, gremlins, cobras, serpientes, peces marinos, tortuga gigante. Nueva colección de cocodrilos y caimanes. "Hoy regalamos un pez a cada niño que nos visite".

Ángel Cristo.
—Presenta el Circo Gigante de las Navidades. Teléfono 255 68 28. Instalado junto a la plaza de toros de Ventas. Grandioso nuevo espectáculo, con elefantes, cocodrilos, focas, dos grupos de payasos y las 25 mejores atracciones circenses del momento.

Planetario de Madrid. Parque de Tierno Galván.
—Los días 31 de diciembre y 1 de enero permanecerá cerrado. Días 2, 3, 4, 6, 7 y 8 de enero. Mañanas, 11.30 y 13 horas, programa: Mundos de fuego. Tardes, 17.30, 18.45 y 20.00 horas, programa: Historias del cielo.

Zoo de la Casa de Campo. (1) / ☎ 711 99 50 / Metro Batán. Autobús 33.
—Festivos, servicios especiales: estación metro Batán, Estrecho (Bravo Murillo, 173), Puente de Vallecas (avenida de la Ciudad de Barcelona-Pacífico) y Ventas. Delfinario: exhibiciones mañana y tarde. Entrada: 10 a 18. Cierre: 18.30. ☎ 711 99 50.

BASIC PHRASES

I'm a member of a youth club	**Soy socio de un club de jóvenes**
What do you do in your free time?	**¿Qué haces en tus ratos libres?**
I play the piano and the flute	**Toco el piano y la flauta**
My favourite hobby is football	**Mi pasatiempo favorito es el fútbol**
I like reading	**Me gusta leer**

HIGHER PHRASES

I'm not interested in sport	**No me interesan los deportes**
Soon I hope to learn to drive	**Pronto espero aprender a conducir**
When I'm bored I go for a stroll	**Cuando me aburro, doy una vuelta**
I love dancing	**Me encanta bailar**
When it's nice I go out to the country and take photos	**Cuando hace buen tiempo salgo al campo y saco fotos**
He won a big prize in the lottery	**Le tocó la lotería**

Other places of interest to visit

Sports

BASIC VOCABULARY

sports	**los deportes**	match	**el partido**
stadium	**el estadio**	competition	**la competición**
bullring	**la plaza de toros**	athletics	**el atletismo**
bullfight	**la corrida**	to run	**correr**
bullfighter	**el torero, el matador**		
		badminton	**el badminton**
club	**el club**	baseball	**el béisbol**
sports centre	**el centro de deportes, el polideportivo**	basketball	**el baloncesto**
		cricket	**el cricket**
		football	**el fútbol**
team	**el equipo**	handball	**el balonmano**
to win	**ganar**	hockey	**el hockey**
to lose	**perder* (pierdo)**	volleyball	**el voleibol**

(BASIC VOCABULARY)

cycling	el ciclismo
fishing	la pesca
rugby	el rugby
skiing	el esquí
swimming	la natación
to swim	nadar
swimming pool	la piscina
sailing	la vela
tennis	el tenis
table tennis	el tenis de mesa, el ping-pong
squash	el squash
a (small) ball	la pelota
the result	el resultado
sports ground	el campo de deportes
winter sports	los deportes de invierno
to go horse-riding	montar a caballo

HIGHER VOCABULARY

billiards	el billar
darts	los dardos
skating	el patinaje
ice-skating	el patinaje sobre hielo
water-skiing	el esquí acuático
windsurfing	el windsurf
canoeing	el piragüismo
mountain-climbing	el alpinismo
to jog	hacer* footing/ jogging (hago)
a (large) ball	un balón
to organise	organizar
to hire	alquilar

to attack	atacar
to defend	defender* (defiendo)
to score a goal	marcar un gol
exciting	emocionante
spectator	el espectador (la espectadora)
supporter	el hincha (la hincha)
to be a fan of/fond of	ser aficionado a
the referee	el árbitro
a draw	un empate
contest, competition	el concurso
a cup	una copa
a trophy	un trofeo
championship	el campeonato
champion	el campéon (la campeona)
to train	entrenar(se)
to improve	mejorar
tracksuit	el chandal
track, rink, court	la pista
fishing rod	la caña de pescar

Sports headlines from Spanish newspapers: which sports do they refer to?

BOXEO

Evangelista quiere irse a Estados Unidos

GOLF

La última jornada del Open Cepsa, hoy

Woosnam, en gran forma, supera a Ballesteros en cuatro golpes

ATLETISMO

YA publicará mañana listas de clasificados

El Maratón de Madrid reunirá hoy a más de 3.500 corredores

BASIC PHRASES

I'm very sporty	Soy muy deportivo (a)
What sport do you do?	¿Qué deporte practicas?
I play tennis and golf	Juego al tenis y al golf
I'm a member of a football team	Soy miembro de un equipo de fútbol

I support Newcastle United	**Soy aficionado del equipo de fútbol 'Newcastle United'**
I scored two goals in the last match	**En el último partido marqué dos goles**
My brother loves to play basketball	**A mi hermano le encanta jugar al baloncesto**
I usually train three times a week	**Por lo general me entreno tres veces a la semana**

Entertainment

BASIC VOCABULARY

cinema	**el cine**
ticket	**la entrada**
to buy a ticket	**sacar una entrada**
the ticket office	**la taquilla**
the performance	**la sesión**
to show	**poner★ (pongo)**
film	**la película**
circle	**el anfiteatro**
stalls	**la butaca**
love story	**la película de amor**
adventure film	**la película de aventuras**
comedy	**la película de risa**
horror film	**la película de miedo**
spy film	**la película de espionaje**
war film	**la película de guerra**
science fiction	**le película de ciencia-ficción**
western	**la película del oeste**
cartoon	**el dibujo animado**
detective film	**la película policíaca**
to open	**abrirse**
to start	**comenzar★ (comienzo), empezar★ (empiezo)**
to see	**ver**
theatre	**el teatro**

play	**la obra (de teatro)**
to reserve, to book	**reservar**
concert	**el concierto**
singer	**el cantante (la cantante)**
pop music	**la música pop**
rock	**el rock**
heavy metal	**la música fuerte**
group	**el conjunto**
disco	**la discoteca**
dance hall	**la sala de fiestas**
show	**el espectáculo**
bullfight	**la corrida**
bullring	**la plaza de toros**
a seat in the sun	**una localidad de sol**
a seat in the shade	**un localidad de sombra**
a seat partly in the sun, partly in the shade	**una localidad de sol y sombra**
not suitable for young people	**no apto para menores**
in the original version	**en versión original**
weekdays	**los días laborales**
actor	**el actor**
actress	**la actriz**
opera	**la ópera**
song	**la canción**
ballet	**el ballet**

HIGHER VOCABULARY

row	**la fila**
at the front	**de delante**
at the back	**de atrás**
usherette	**la acomodadora**
tip	**la propina**
subtitled	**subtitulado**
suitable for	**autorizado para**
not recommended	**no recomendado**
people over the age of	**mayores de**
to be left (of tickets)	**quedar**
to queue	**hacer cola**
to fight the bull	**torear**
zoo	**el zoo**
circus	**el circo**
elephant	**el elefante**
tiger	**el tigre**
lion	**el león**
bear	**el oso**
monkey	**el mono**
a funfair	**un parque de atracciones**
a poster	**un cartel**
a tragedy	**una tragedia**
a comedy	**una comedia**
a character (in play)	**un personaje**
the interval	**el descanso**
a box (theatre)	**un palco**
programme	**el programa**
channel (TV)	**la cadena**

news	**las noticias**
documentary	**un documental**
serials, soaps	**las series**
TV news bulletin	**el telediario**

What are these TV programmes?

BASIC PHRASES

I'd like a seat for the ten o'clock performance	**Quisiera una butaca para la sesión de las diez**
Would you like to go to the disco with me?	**¿Te gustaría ir a la discoteca conmigo?**
I prefer watching horror films	**Prefiero ver las películas de miedo**

HIGHER PHRASES

Does the film have subtitles?	**¿Es una película subtitulada?**
Is there a reduction for students?	**¿Se hace reducción a los estudiantes?**
I really liked the atmosphere	**Me gustó muchísimo el ambiente**
Don't tell me the story of the film!	**¡No me cuentes el argumento de la película!**

Describing leisure activities

BASIC VOCABULARY		HIGHER VOCABULARY	
pleasant	**agradable**	stupid	**estúpido**
good	**bueno**	ridiculous	**ridículo**
well	**bien**	surprising	**sorprendente**
excellent	**excelente**	exciting	**emocionante**
great, fantastic	**estupendo,**	impressive	**impresionante**
	magnífico	marvellous	**maravilloso**
		famous	**célebre**
interesting	**interesante**	rare	**raro**
boring	**aburrido**	best	**mejor**
funny	**gracioso**		
comical	**cómico**	to criticise	**criticar**
bad	**malo**	to protest	**protestar**
quite good	**bastante bien**	to regret	**sentir* (siento),**
			lamentar
to be right	**tener* razón (tengo)**		
to be wrong	**no tener* razón**	better	**mejor**
	(tengo)	so much the better	**tanto mejor**
opinion	**la opinión, el parecer**	that's too bad	**es una pena**
to think that	**creer que**	worse	**peor**
to think of	**pensar* de (pienso)**	absolutely	**absolutamente,**
to find	**hallar, encontrar***		**en absoluto**
	(encuentro)	success	**el éxito**
favourite	**favorito, preferido**	to be successful	**tener* éxito (tengo)**
to agree	**estar* de acuerdo**	disappointing	**decepcionante**
	(estoy)	extremely	**sumamente**
awful	**fatal, horrible**		

BASIC PHRASES

What do you think of this film?	**¿Qué piensas de esta película?**
I think it is really good	**A mi parecer es estupenda**
I agree	**Estoy de acuerdo**
I find it very funny	**Lo encuentro muy gracioso**
You are right, it's no good	**Tienes razón, no es bueno**

HIGHER PHRASES

How do you find their music?	**¿Qué tal encuentras su música?**
This programme is worse than the other one	**Este programa es peor que el otro**
It's not worth watching	**No vale la pena verlo**

5 Work

Jobs

actor	el actor
actress	la actriz
artist	el artista
baker	el panadero
boss	el jefe
butcher	el carnicero
cashier	el cajero (la cajera)
chef, cook	el cocinero (la cocinera)
clerk	el empleado (la empleada)
dentist	el/la dentista
doctor	el médico (la médica)
driver	el conductor (la conductora)
engineer	el ingeniero (la ingeniera)
firefighter	el bombero
fisherman	el pescador
gardener	el jardinero (la jardinera)
headteacher	el director (la directora)
housewife	el ama de casa
journalist	el/la periodista
lorry driver	el camionero
mechanic	el mecánico
miner	el minero
musician	el músico
nurse	el enfermero (la enfermera)
owner, proprietor	el propietario (la propietaria)
painter	el pintor (la pintora)
photographer	el fotógrafo (la fotógrafa)
pilot	el piloto
policeman	el policía, el guardia
policewoman	la mujer policía
postman	el cartero
priest	el cura
receptionist	el/la recepcionista
secretary	el secretario (la secretaria)
shop assistant	el dependiente (la dependienta)
student	el/la estudiante
taxi driver	el taxista
teacher	el profesor (la profesora)
ticket collector	el revisor
waiter	el camarero
waitress	la camarera
job	el empleo
profession	la profesión
work	el trabajo
to work	trabajar
hard-working	trabajador (trabajadora)
employee	el empleado (la empleada)
employed as	empleado de
trade union	el sindicato
to be (job)	ser* (soy)
to become	hacerse* (me hago), llegar a ser
rich	rico

(BASIC VOCABULARY)

a bank	un banco	farmer	el granjero
a farm	una granja	garage worker	el empleado de garaje
a garage	un garaje	hairdresser	el peluquero (la peluquera)
a factory	una fábrica	lawyer	el abogado (la abogada)
an office	una oficina	milkman	el lechero
a hospital	un hospital	office worker	el oficinista (la oficinista)
in the open air	al aire libre	officer	el oficial
to hope to	esperar	representative	el representante
to want to	querer* (quiero)	sailor	el marinero
to have to	tener* que (tengo)	soldier	el soldado
it is necessary to	hay que	shoeshine boy	el limpiabotas
to study	estudiar	shopkeeper	el tendero (la tendera)
hard	duro	tailor	el sastre
dirty	sucio	teacher	el maestro (la maestra)
to pay	pagar	technician	el técnico (la técnica)
salary	el sueldo	telephonist	el telefonista (la telefonista)

HIGHER VOCABULARY

air hostess	la azafata	typist	el mecanógrafo (la mecanógrafa)
architect	el arquitecto (la arquitecta)	labourer	el obrero (la obrera)
author	el autor (la autora)	a firm	una empresa
bus conductor	el cobrador (la cobradora)	a job, occupation	un oficio
businessman	el negociante, el hombre de negocios	to learn a trade	aprender un oficio
businesswoman	la negociante, la mujer de negocios	to do military service	hacer la mili
captain	el capitán	to earn one's living	ganarse la vida
chemist	el farmacéutico (la farmacéutica)	to dedicate oneself to	dedicarse a
driver, chauffeur	el chófer	to intend to	tener* la intención de (tengo)

BASIC PHRASES

What does your dad do for a living?	¿En qué trabaja tu padre?
My mother is a nurse	Mi madre es enfermera
The work is hard but interesting	El trabajo es duro pero es interesante

HIGHER PHRASES

I should like a job to do with computers	**Quisiera trabajar en algo relacionado con las computadoras**
I intend to become an engineer	**Tengo la intención de hacerme ingeniero**
I shouldn't like to be a dentist	**No me gustaría nada ser dentista**
For me the most important thing is to work in the open air	**Para mí lo más importante es trabajar al aire libre**

What jobs are being advertised?

TRABAJO

OFERTAS

SECRETARIAS
bilingües. Tratamiento textos. Operando Wang. Experiencia. Clarke & Powel. ☎ 455 99 16.

MECANÓGRAFAS
Velocidad. Experiencia. Clarke & Powel. ☎ 455 99 16.

MENSAJEROS-RADIO
Empresa líder precisa mensajeros. Se requiere: Mayor de 16 años. Moto propia. Buena presencia. Se ofrece: Seguridad. Social inmediata. Sueldo + incentivos + pagas extras. Vacaciones = 30 días pagados. Trabajo continuo. Dedicación total o parcial. Ros de Olano, 7. ☎ 413 62 13.

Necesitamos señoritas buena presencia. Whiskería Times. Buen sueldo. ☎ 407 10 91. De 4 tarde a 12 noche.

Importante fábrica francesa de perfumes necesita representantes muy introducidos para toda España. Llamar 10.30-2 al ☎ 251 94 36.

IMPORTANTE
empresa de estudios de mercado y opinión precisa encuestadores/as para ampliar su red de Madrid. Interesados, llamar los días 4 y 5 de febrero, de 10 a 14 y de 16 a 18 horas, al ☎ 315 70 30. Preguntar por Francisca Ballesteros.

What jobs are these people looking for?

TRABAJO

DEMANDAS

Arquitecto, necesito trabajo, proyectista-delineante. ☎ 447 08 02.

SE ofrece conductor primera. ☎ 7634634.

MECANICO máquina recreativas. ☎ 4606198, 4717717.

CHICO joven, de 26 años, con carnets B1, B2, C1, con cartilla de taxista. ☎ 404 1043.

ATS, ofrécese con experiencia cauidar enfermos o ancianos. ☎ 4770664.

CONDUCTOR particular, profesional, ofrécese. ☎ 2443617.

SE ofrece joven de veintiocho años con diez años de experiencia en compra-venta de frutas y verduras. ☎ 2187704. Abstenerse curiosos.

CONDUCTOR turismo, experiencia 20 años, conociendo Madrid. ☎ 6513363.

OFRECESE conductor profesional para Madrid, conocimientos mecánica; exento Seguridad Social. ☎ 7056680.

OFRECESE conductor C-1, cartilla taxi. ☎ 2691718.

OFRECESE camarero. ☎ 2002032.

Spare-time jobs and pocket money

BASIC VOCABULARY

to get	**recibir**
pocket money	**dinero para los gastos personales**
to pay	**pagar**
to earn	**ganar**
pound (sterling)	**la libra (esterlina)**
to work	**trabajar**
to start	**empezar★ (empiezo), comenzar★ (comienzo)**
to finish	**terminar**
week	**la semana**
evening	**la tarde**
morning	**la mañana**
bank	**el banco**
to buy	**comprar**
expensive	**caro**
to cost	**costar★ (cuesta)**
to have	**tener★ (tengo)**
enough	**bastante**
a lot	**mucho**
too much	**demasiado**

how much?	**¿cuánto?**
a banknote	**un billete (de banco)**
a cheque book	**un libro de cheques**
change	**la moneda suelta**

HIGHER VOCABULARY

to spend	**gastar**
to lend	**prestar**
to borrow	**pedir prestado★ (pido)**
to pay back	**devolver★ (devuelvo)**
to owe	**deber**
to save	**ahorrar**
savings bank	**una caja de ahorros**
credit card	**una tarjeta de crédito**
bank account	**la cuenta de banco**
to charge	**cobrar**
to withdraw	**sacar**
identity card	**el carnet de identidad**
to babysit	**cuidar a los niños**

BASIC PHRASES

I earn £2 an hour	**Gano dos libras por hora/a la hora**
On Saturdays I work eight hours in a supermarket	**Los sábados trabajo ocho horas en un supermercado**
My father gives me £2.50 every week	**Mi padre me da quinientas pesetas cada semana**

HIGHER PHRASES

I'm saving up to buy a new bike	**Estoy ahorrando para comprarme una nueva bicicleta**
I spend very little money	**Gasto muy poco dinero**
Altogether I get paid just over £8	**En total me pagan ocho libras y pico**
I started to work there about six months ago	**Empecé a trabajar allí hace seis meses más o menos**

6 Travel and transport

Travel to work and to school

BASIC VOCABULARY

transport	**el transporte**	station	**la estación**
bus	**el autobús**	work	**el trabajo**
by bus	**en autobús**		
bicycle	**la bicicleta**	on time	**a tiempo**
coach	**el autocar**	late	**tarde**
underground	**el metro**	soon	**pronto**
car	**el coche**		
on foot	**a pie, andando**	distance	**la distancia**
		usually	**por lo general,**
to go	**ir★ (voy)**		**generalmente**
to stop	**pararse**		
to bring (someone)	**llevar**	slow	**lento**
to cross	**cruzar**	quick	**rápido**
to arrive	**llegar**	punctual	**puntual**
to enter	**entrar (en)**	practical	**práctico**
to leave	**salir★ (de) (salgo)**		
to return home	**volver★ (vuelvo)**		
to catch	**coger★ (cojo)**		HIGHER VOCABULARY
to get on	**subir (a)**	to hurry	**darse★ prisa (me doy)**
to get off	**bajar (de)**	to be in a hurry	**tener★ prisa (tengo)**
to travel	**viajar**	to cross	**atravesar★**
to stay	**quedarse**		**(atravieso)**
my home	**mi casa**	to return	**regresar**
school	**el instituto,**	to set off	**ponerse★ en camino**
	el colegio		**(me pongo)**
office	**la oficina**	to take a long time	**tardar en (hacer algo)**
factory	**la fábrica**	(to do something)	

BASIC PHRASES

I get the train at 8.15	**Cojo el tren a las ocho y cuarto**
Normally I walk	**Por lo general voy andando**
If it rains, my mother brings me in the car	**Si llueve, mi madre me lleva en el coche**
I go home at about 6 o'clock	**Vuelvo a casa a eso de las seis**
I leave home with my sister	**Salgo de casa con mi hermana**

HIGHER PHRASES

I set off at 8 o'clock	**Me pongo en camino a las ocho**
If I hurry, I can be back at 4 o'clock	**Si me doy prisa, puedo estar de vuelta a las cuatro**
It takes me half an hour to get there	**Tardo una media hora en llegar**

Finding the way

BASIC VOCABULARY

Where is . . .?	**¿Dónde está . . .?**
(rail) station	**la estación (de ferrocarril)**
bus station	**la estación de autobuses**
bus stop	**la parada**
port	**el puerto**
beach	**la playa**
square	**la plaza**
castle	**el castillo**
bridge	**el puente**
road	**la carretera**
motorway	**la autopista**
metre	**el metro**
kilometre	**el kilómetro**
narrow	**estrecho**
wide	**ancho**
tourist information office	**la oficina de turismo**
centre	**el centro**
pedestrian	**el peatón**
direction	**la dirección**
on the left	**a la izquierda**
on the right	**a la derecha**
straight on	**todo recto, todo derecho**
to take	**tomar**
first	**primero**
second	**segundo**
third	**tercero**
fourth	**cuarto**
fifth	**quinto**

to carry on	**seguir★ (sigo)**
to turn	**torcer★ (tuerzo)**
to go past	**pasar**
to go up	**subir**
to go down	**bajar**
to cross	**cruzar**
to be situated	**estar situado (está)**
before	**antes (de)**
after	**después (de)**
in front of	**delante (de)**
behind	**detrás (de)**
next to	**al lado (de)**
opposite	**enfrente (de)**
under	**debajo (de)**
between	**entre**
at the end of	**al final de**
as far as	**hasta**
above	**encima (de)**
below	**abajo**
you are not allowed to	**está prohibido, no se puede**
to park	**aparcar**
car park	**el aparcamiento, el parking**
blue zone	**la zona azul**
obligatory	**obligatorio**
right, OK	**vale, de acuerdo**
then	**entonces**
next	**luego**
here	**aquí**
there	**allí**
for	**para**

(BASIC VOCABULARY)		HIGHER VOCABULARY	
to help	ayudar	footpath, pavement	la acera
to ask	preguntar	passer-by	el/la transeúnte
far (from)	lejos (de)	area	la región
near (to)	cerca (de)	one-way (street)	sentido único, dirección única
quite	bastante		
plan	el plano	along	a lo largo de
map	el mapa	to approach	acercarse (a)
		destination	el destino
town centre	el centro del pueblo/ de la ciudad	to leave for	salir* con destino a (salgo)
crossroads	el cruce	to head for	dirigirse* a (me dirijo)
corner	la esquina		
to turn (the corner)	doblar (la esquina)	to return	regresar
traffic lights	el semáforo	to lose one's way	perderse* (me pierdo), extraviarse
all through traffic	todas direcciones		
traffic	el tráfico	to allow	permitir
entrance	la entrada	you are not allowed to	no se permite
exit	la salida	to park	estacionarse
building	el edificio	traffic	la circulación
place	el lugar, el sitio	crane (used to tow away cars which are badly parked)	la grúa

Laborals: 10,00 a 14,00 horas
e : 16,00 a 20,00 horas
Sabados: 10,00 a 14,00 horas

AREA
DE APARCAMENTO
REGULAMENTADO E CONTROLADO

TICKET CONTROL
ESIXIDO

BASIC PHRASES

How do I get to the beach?	¿Por dónde se va a la playa?
How far is it?	¿A qué distancia está?
It's five minutes on foot	Está a cinco minutos andando
Go straight on and it's on your left	Siga todo recto y está a la derecha
Don't mention it!	¡De nada!

I'm lost	**Me he perdido**
Can you park here?	**¿Se permite aparcar aquí?**
Do you know where the town hall is?	**¿Sabe usted dónde está el ayuntamiento?**
Can you direct me to the market, please?	**¿Puede usted dirigirme al mercado, por favor?**

Public transport

BASIC VOCABULARY

to travel	**viajar**
a traveller	**un viajero (una viajera)**
have a good journey!	**¡buen viaje!**
tourist	**el/la turista**
passenger	**el pasajero (la pasajera)**
information	**la información**
to arrive	**llegar**
to leave	**salir★ (salgo)**
following	**siguiente**
next	**próximo**
time	**la hora**
open	**abierto**
closed	**cerrado**
to carry	**llevar**
suitcase	**la maleta**
bag	**el bolso**
to book	**reservar**
to buy	**comprar**
bus	**el autobús**
bus station	**la estación de autobuses**
bus stop	**la parada (de autobuses)**
coach	**el autocar**
exit	**la salida**
entrance	**la entrada**
seat	**el asiento**
vacant	**libre**
occupied	**ocupado**
to drive	**conducir★ (conduzco)**

driver	**el conductor**
to sit down	**sentarse★ (me siento)**
boat	**el barco**
port	**el puerto**
station	**la estación**
railway	**el ferrocarril**
National Network of Spanish Railways	**RENFE (Red Nacional de los Ferrocarriles Españoles)**
train	**el tren**
destination	**el destino**
express	**el expreso, el rápido**
direct	**directo**
underground	**el metro**
to catch	**coger★ (cojo)**
to miss	**perder★ (pierdo)**
to change	**cambiar**
ticket office	**la taquilla**
ticket office employee	**el taquillero (la taquillera)**
a single ticket	**un billete sencillo**
a return ticket	**un billete de ida y vuelta**
compartment	**el departamento**
smokers	**de fumadores**
non-smokers	**de no fumadores**
first-class	**de primera clase**
second-class	**de segunda clase**
restaurant car	**el coche restaurante**
sleeper	**el coche cama**

(BASIC VOCABULARY)

platform	**el andén**	flight	**el vuelo**
track	**la vía**	to fly	**volar★ (vuelo)**
access	**el acceso**	luggage	**el equipaje**
timetable	**el horario**	safety belt	**el cinturón de**
arrivals	**llegadas**		**seguridad**
departures	**salidas**	pilot	**el piloto**
		gate	**la puerta**
to announce	**anunciar**	from	**desde**
delay	**el retraso**	to	**hasta**
		customs	**la aduana**
waiting room	**la sala de espera**	to declare	**declarar**
to wait	**esperar**		
toilets	**los servicios**	window (of vehicle)	**la ventanilla**
at the back	**al fondo**	a fine	**una multa**
buffet	**la cantina**	to give a fine	**poner★ una multa**
left-luggage	**la consigna**		**(pongo)**
lost-property office	**la oficina de objetos**		
	perdidos		
porter	**el mozo**		
ticket collector	**el revisor**		

HIGHER VOCABULARY

to buy a ticket	**sacar un billete**
a book of tickets	**un bono (de billetes)**
conductor	**el cobrador**
driver	**el chófer**

airport	**el aeropuerto**
aeroplane	**el avión**

(HIGHER VOCABULARY)

hovercraft	**el aerodeslizador**
to embark, to go on board	**embarcar**
to disembark	**desembarcar**
to be seasick	**marearse**
a stopping train	**un tranvía**
a supplement	**un suplemento**
a journey	**un recorrido**
coming from	**procedente de**
going to	**con destino a**

boarding pass	**la tarjeta de embarque**
air hostess	**la azafata**
to take off	**despegar**
to land	**aterrizar**
to fasten safety belt	**abrocharse**
to last	**durar**
altitude	**la altura**
speed	**la velocidad**
duty-free	**libre de impuestos**
customs officer	**el aduanero**
door of vehicle	**la portezuela**
'blue days' (days when tickets are cheaper)	**días azules**

DESCUENTOS APLICABLES EN LOS DIAS AZULES DE RENFE

TARJETA FAMILIAR: 50% a 75%.
TARJETA DORADA: 50%.
IDA Y VUELTA: 20%.
GRUPOS: 20% a 30%.
DEPARTAMENTO EXCLUSIVO OFERTA "8 × 5" y "6 × 4"
VIAJE CON SU PAREJA EN COCHE-CAMA.
TARJETA JOVEN: 50% Y UN RECORRIDO GRATIS EN LITERA (Mayo a Diciembre).
AUTO-EXPRESO: 20% a 100%.
LOS DESCUENTOS SON SOBRE "TARIFA GENERAL", EXCLUIDOS LOS SUPLEMENTOS

RENFE

Discounts given by RENFE on *Días azules*

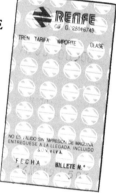

Ticket

BASIC PHRASES

A single to Madrid, please	**Un billete sencillo para Madrid, por favor**
At what time does the train leave?	**¿A qué hora sale el tren?**
Is this the bus to Jerez?	**¿Es éste el autobús para Jerez?**
Is this seat taken?	**¿Está ocupado este asiento?**
Where is the information office, please?	**¿Dónde está la oficina de información, por favor?**
From which platform does it leave?	**¿De qué andén sale?**

HIGHER PHRASES

Is it direct or do you have to change?	**¿Es directo o hay que cambiar?**
I'm going to leave my suitcase at the left-luggage	**Voy a dejar mi maleta en la consigna**
I've nothing to declare	**No tengo nada que declarar**
Can you give me some information about sleepers?	**¿Me puede informar sobre los coches-cama?**

Private transport

BASIC VOCABULARY

car	el coche	wheel	la rueda
seat belt	el cinturón de seguridad	puncture	el pinchazo
		engine	el motor
car park	el aparcamiento	toilets	los servicios
to park	aparcar		
road map	la carta	to hitch-hike	hacer* autostop (hago)
main road	la carretera		
motorway	la autopista		
number	el número	level-crossing	el paso a nivel
toll	el peaje	pedestrian crossing	el paso de peatones
motorbike	la moto	danger	el peligro
		dangerous	peligroso
garage	el garaje	roadworks	obras
mechanic	el mecánico	give way	ceda el paso
to repair	reparar	motorist	el/la automovilista
to hire	alquilar	cyclist	el/la ciclista
		scooter	el escúter
accident	el accidente	moped	el ciclomotor
serious	grave		

Garage sign

ambulance	la ambulancia
to send	enviar
police	la policía
policeman	el guardia
traffic policeman	un guardia urbano
lorry	el camión
bicycle	la bicicleta
to help	ayudar
service station	la estación de servicio
to fill up with petrol	llenar
petrol	la gasolina
4-star (petrol)	súper
unleaded (petrol)	sin plomo
litre	el litro
oil	el aceite
to change	cambiar
water	el agua (f)
radiator	el radiador
air	el aire
tyre	el neumático

HIGHER VOCABULARY

service station	la gasolinera	detour	el desvío
diesel	el gas-oil	traffic jam	el atasco,
windscreen	el parabrisas		el embotellamiento
battery	la batería	traffic	la circulación
brakes	los frenos	driving licence	el permiso de
to check	comprobar*		conducir, el carnet de
	(compruebo)		conducir
pressure	la presión	insurance	los seguros
to work (mechanically)	funcionar	to expire	caducar
car wash	el lavado automático	car registration	la matrícula
to mend, to fix	arreglar	number	
		make	la marca
highway code	el código de la		
	circulación		
a sign	una señal	to crash	chocar con
right of way	la preferencia	breakdown	la avería
speed	la velocidad	to be broken down	estar averiado
maximum	máximo	to park	estacionar(se)

BASIC PHRASES

Fill it up with 4-star, please	¡Llénelo de súper, por favor!
Is there a service station near here?	¿Hay una estación de servicio cerca de aquí?
How do I get to Salamanca from here?	¿Cómo se llega desde aquí a Salamanca?
Where are the toilets?	¿Dónde están los servicios?
I need some air for the tyres	Necesito aire para los neumáticos
I've got a puncture	Tengo un pinchazo

HIGHER PHRASES

Check the oil, please	Compruebe el aceite, por favor
You need half a litre	Le hace falta medio litro
My car is broken down	Mi coche está averiado
How long will it take you to mend it?	¿Cuánto tiempo se tardará en arreglarlo?
How far is it to the motorway?	¿A qué distancia está la autopista?
Keep the change!	¡Quédese con la vuelta!

NO ⊙ SE PASE DE LA RAYA.

Conduzca con precaución. Sobre todo en los adelantamientos. Respete siempre la línea continua. Llegará muy lejos.

Dirección Gral. de Tráfico
Ministerio Del Interior

UTILICE EL MEJOR SEGURO DEL AUTOMOVIL: LA PRECAUCION.

7 Holidays

General

holidays	**las vacaciones**
to go on holiday	**ir de vacaciones**
to be on holiday	**estar de vacaciones**
one-day holiday	**un día de fiesta, un día festivo**
a festival	**una fiesta**
this year	**este año**
last year	**el año pasado**
next year	**el año que viene**
to go	**ir**
to visit	**visitar**
to spend	**pasar**
day	**un día**
week	**una semana**
fortnight	**quince días**
month	**un mes**
spring	**la primavera**
summer	**el verano**
autumn	**el otoño**
winter	**el invierno**
Easter	**Pascuas**
Holy Week	**Semana Santa**
Christmas	**Navidad**
world	**el mundo**
country	**el país**
area	**la región**
abroad	**en el extranjero**
beach	**la playa**
coast	**la costa**
sea	**el mar**
water	**el agua** (*f*)

to bathe	**bañarse**
to swim	**nadar**
rock	**la roca**
to windsurf	**hacer★ el windsurf (hago)**
to sunbathe	**tomar el sol**
swimming costume	**el traje de baño**
bikini	**el bikini**
sunglasses	**las gafas de sol**
towel	**la toalla**
to dry oneself	**secarse**
to relax	**descansar**
ice cream	**el helado**
cool drink	**el refresco**
picnic	**la merienda**
in the country	**en el campo**
in the open air	**al aire libre**
lake	**el lago**
river	**el río**
wood	**el bosque**
to go camping	**hacer★ camping (hago)**
to stay	**quedarse**
hotel	**el hotel**
to cost	**costar★ (cuesta)**
winter sports	**los deportes de invierno**
mountain	**la montaña, la sierra**
to ski	**esquiar**
isolated	**aislado**
a trip, excursion	**una excursión**
to go on a trip	**hacer★ una excursión (hago), ir★ de excursión (voy)**

(BASIC VOCABULARY)

to visit	visitar
a visit	una visita
to enjoy onself	divertirse* (me divierto)
to have a good time	pasarlo bien
to have a bad time	pasarlo mal
to buy	comprar
present	el regalo
souvenir	el recuerdo
to take a photo	sacar una foto
camera	la máquina
tourist	el turista, (la turista)
travel agency	la agencia de viajes
tourist office	la oficina de turismo
a brochure	un folleto
a plan	un plano
a map	un mapa
a list	una lista
interesting	interesante
to know (place)	conocer* (conozco)
building	el edificio
monument	el monumento
castle	el castillo
museum	el museo
guide	el/la guía
wine cellar	la bodega
a place	un lugar
historical	histórico
tourist (adj)	turístico
picturesque	pintoresco
pleasant	agradable
view	la vista
fantastic	estupendo

HIGHER VOCABULARY

to spend the summer (holidays)	veranear
a holidaymaker	un veraneante
summer holiday	el veraneo
a summer resort	un lugar de veraneo

climate	el clima
atmosphere	el ambiente
at the seaside	a orillas del mar
wave	la ola
sand	la arena
sandy	arenoso
sand-castle	un castillo de arena
bucket	el cubo
spade	la pala
open-air café	el merendero
to have a snack	merendar
sunshade	el toldo
deckchair	la hamaca, la silla plegable
bathing hut	la caseta
tide	la marea
current	la corriente
light-house	el faro
cliff	el acantilado
lifebelt	el cinturón salvavidas
to drown	ahogarse
to get a suntan	broncearse, ponerse* moreno (me pongo)
sun cream	la crema solar, bronceadora
to row	remar
ski resort	la estación de esquí
ski run	la pista
to skate	patinar
poster	el cartel
entertainment	la distracción
to rent, to hire	alquilar
for hire	alquiler de
to remember	acordarse* (me acuerdo), recordar*, (recuerdo)
to forget	olvidar
season	la temporada

BASIC PHRASES

This year I'm going on holiday to Spain	Este año voy de vacaciones a España
I love the sea and swimming	Me encantan el mar y la natación
I would like to visit a lot of countries	Me gustaría visitar muchos países
We enjoy ourselves a lot there	Nos divertimos mucho allí
There is a lot to do	Hay mucho que hacer
What were your holidays like?	¿Qué tal las vacaciones?

HIGHER PHRASES

We usually go to the beach in summer	Los veranos solemos ir a la playa
A lot of people go to spend their holidays on the coast	Mucha gente va a veranear en la costa
I bought a lot of souvenirs, for example some castanets, a fan and a doll	Compré muchos recuerdos, por ejemplo unas castañuelas, un abanico y una muñeca
I had a great time and I would like to go back there this year	Lo pasé bomba y me gustaría volver allí este año

Hotel accommodation

BASIC VOCABULARY

hotel	el hotel
boarding house	la pensión
full board	pensión completa
half board	media pensión
room	la habitación
number	el número
single	individual
double	doble
free	libre

with three beds	de tres camas
with	con
balcony	balcón
bath	el baño
shower	la ducha
wash-basin	el lavabo
hot water	el agua caliente
double bed	la cama de matrimonio
breakfast	el desayuno
telephone	el teléfono

key	la llave
receptionist	el/la recepcionista
reception desk	la recepción
door	la puerta
pull	tire
push	empuje
entrance	la entrada
exit	la salida
corridor	el pasillo

HIGHER VOCABULARY

4-star	cuatro estrellas
luxury	de lujo, de primera categoría
a luxury, state-run hotel	un parador
air conditioning	el aire acondicionado
to check in	inscribirse
to put up	alojarse
a stay	una estancia

(HIGHER VOCABULARY)

maximum price	**el precio máximo**	to be left	**quedar**
minimum price	**el precio mínimo**	full	**lleno, completo**
to include	**incluir*** (incluye)		
included	**incluído**	to pay	**pagar**
not included	**no incluído**	bill	**la cuenta**
VAT	**IVA**	cheque	**el cheque**
to notify	**notificar**	to accept	**aceptar**
to confirm	**confirmar**		
the reservation	**la reserva**	light	**la luz**
manager	**el/la gerente**	lift	**el ascensor**
owner	**el dueño (la dueña)**	to work	**funcionar**
to book	**reservar**	uncomfortable	**incómodo**
to write	**escribir**	dirty	**sucio**
to spend	**pasar**	broken	**roto**
to stay	**quedarse**		
night	**la noche**	floor	**el piso**
day	**el día**	first floor	**el primer piso**
week	**la semana**	ground floor	**la planta baja**
to arrive	**llegar**	stairs	**las escaleras**
to leave	**salir*** (salgo)	view	**la vista**
to send	**mandar, enviar**		
deposit	**el depósito**	luggage	**el equipaje**
to sign	**firmar**	suitcase	**la maleta**
form	**el formulario**	passport	**el pasaporte**
		hotel porter	**el botones**
waiter	**el camarero**	tip	**la propina**
waitress	**la camarera**	to fill in (form)	**rellenar**
maid	**la criada**	detail	**el detalle**
		to check	**comprobar***
restaurant	**el restaurante**		**(compruebo)**
to serve	**servir*** (sirvo)	available	**disponible**
breakfast	**el desayuno**		
to have breakfast	**desayunar**		
supper	**la cena**		
to have supper	**cenar**		
from (time)	**a partir de**		

NO MOLESTE

HOTEL COMPLETO

SERVICIO E IMPUESTOS INCLUÍDOS

(HIGHER VOCABULARY)

to disturb	**molestar**	to make sure (that)	**asegurarse (de que)**
to complain	**quejarse**		
complaints book	**el libro de reclamaciones**	high season	**la temporada alta**
to be satisfied	**estar satisfecho**	low season	**la temporada baja**
noise	**el ruido**	lunch	**el almuerzo**
noisy	**ruidoso**	to share a room	**compartir una habitación**
in case of fire	**en caso de incendio**	discount	**el descuento**
safe	**la caja fuerte**		
valuables	**los objetos de valor**	to put out (light, cigarette)	**apagar**
jewels	**las joyas**		
to lock	**cerrar★ con llave (cierro)**	to switch on (light)	**encender★ (enciendo)**
lock	**la cerradura**		

BASIC PHRASES

Have you any rooms free?	**¿Tiene habitaciones libres?**
I'd like a single room with shower	**Quisiera una habitación individual con ducha**
I want full board	**Quiero pensión completa**
It's for two people for three days	**Es para dos personas para tres días**
What time is lunch served?	**¿A qué hora se sirve el almuerzo?**

HIGHER PHRASES

It does not suit me	**No me conviene**
The light does not work	**La luz no funciona**
Could you call us at 8 o'clock, please?	**¿Puede llamarnos a las ocho, por favor?**
I want to put some valuables in the safe	**Quiero colocar unos objetos de valor en la caja fuerte**

Camping

BASIC VOCABULARY

campsite	**el camping**	motorbike	**la moto**
to go camping	**hacer★ camping (hago)**	caravan	**la caravana**
		reception	**la recepción**
tent	**la tienda (de campaña)**	space	**el sitio, el espacio**
		person	**la persona**
adult	**el adulto**	price	**el precio**
child	**el niño, la niña**	form	**la ficha**
vehicle	**el vehículo**	to pay for	**pagar**
car	**el coche**	to cost	**costar★ (cuesta)**

(BASIC VOCABULARY)

booklet	el carnet
membership card	la tarjeta de miembro
shade	la sombra
tree	el árbol
grass	la hierba
under	debajo de
to look for	buscar
services	los servicios
drinking water	el agua potable (f)
electric light	la luz eléctrica
shower	la ducha
shop	la tienda
restaurant	el restaurante
toilets	los servicios
telephone	el teléfono
hot water	el agua caliente (f)
sink	el fregadero
bar	el bar
exchange	el cambio de moneda
café	la cafetería
postal service	servicio de correo
swimming pool	la piscina
open	abierto
closed	cerrado
camping equipment	el equipo de camping
sleeping-bag	el saco de dormir
torch	la lámpara (de bolsillo)
matches	los fósforos, las cerillas
plate	el plato
knife	el cuchillo
fork	el tenedor
spoon	la cuchara
tin-opener	el abrelatas
corkscrew	el sacacorchos
to wash	lavar
clean	limpio
dirty	sucio
dust	el polvo

hot	caliente
cold	frío
take-away meals	comidas para llevar
cooked meals	platos preparados
tinned food	comida en latas
ice	el hielo
to play	jugar* (juego)
game	el juego

HIGHER VOCABULARY

camper	el/la campista
person in charge of campsite	el encargado (la encargada)
warden	el guarda, el guardián
supervised	vigilado
equipped	equipado
pitch	el terreno, la parcela
to put up a tent	armar una tienda, montar una tienda
laundry	la lavandería
toilets	los aseos
children's playground	el parque infantil
hide and seek	el escondite
dustbins	los cubos de basura
litter-bin	la papelera
heated swimming pool	la piscina climatizada
first-aid	los primeros auxilios
category	la categoría
free	gratuito, gratis
camping gas	el gas butano
frying-pan	la sartén
saucepan	la cacerola
camp stove	el hornillo de gas
airbed	el colchón de aire/ neumático
electrical socket	el enchufe
battery	la pila

to respect	**respetar**		prohibited	**prohibido**
rules	**el reglamento,**		accompanied by	**acompañado de/por**
	las normas		to light a fire	**hacer★ fuego (hago)**
to keep quiet	**guardar silencio**		area, grounds	**el recinto**
responsible for	**responsable de**			
to request	**rogar★ (ruego)**		security	**la seguridad**
speed	**la velocidad**		the personnel	**el personal**
limited to	**limitado**		the management	**la dirección**
strictly	**estrictamente**			

SE PROHIBE ENCENDER FUEGO

Agua Potable

ABIERTO TODO EL AÑO

DUCHAS

VELOCIDAD MÁXIMA 10 km/h

BASIC PHRASES

Is there any room on the campsite?	**¿Hay sitio en el camping?**
How much does it cost per night?	**¿Cuánto vale por noche?**
Where can I put the tent?	**¿Dónde puedo poner la tienda?**
There are four of us: two adults and two children	**Somos cuatro: dos adultos y dos niños**
Is there a restaurant?	**¿Hay un restaurante?**

HIGHER PHRASES

I would prefer a pitch in the shade	**Preferiría una parcela en la sombra**
Do you have to pay extra for that?	**¿Se tiene que pagar más por eso?**
Is the site supervised at night?	**¿Está vigilado el camping por la noche?**
Can you fill in this form, please?	**¿Puede rellenar esta ficha, por favor?**

Youth hostel

BASIC VOCABULARY

youth hostel	**el albergue (juvenil)**		price list	**la tarifa**
bed	**la cama**		form	**la ficha**
free	**libre**		to open	**abrir(se)**
reception	**la recepción**		open	**abierto**
timetable	**el horario**		to shut	**cerrar★ (cierro)**

(BASIC VOCABULARY)

closed	cerrado
room, space	el sitio
to stay	quedarse
how much?	¿cúanto?
per person	por persona
per night	por noche
boy	el chico
girl	la chica
dining-room	el comedor
breakfast	el desayuno
supper	la cena
half board (bed, breakfast, evening meal)	la media pensión
price	el precio
to serve	servir* (sirvo)
included	incluído
kitchen	la cocina
bill	la cuenta
to ask for	pedir* (pido)
dormitory	el dormitorio
boys' dormitory	el dormitorio para chicos/masculino
girls' dormitory	el dormitorio para chicas/femenino
to hire	alquilar
the hire, rent	el alquiler
sleeping-bag	el saco de dormir
blanket	la manta
a pair of	un par de

silence	el silencio
to help	ayudar
forbidden	prohibido
obligatory	obligatorio

HIGHER VOCABULARY

hostel	el hostal, el albergue
to fill in (form)	rellenar
membership card	la tarjeta de afiliación
to lodge, to put up	alojarse
lodging	el alojamiento
night (adj.)	nocturno
stay	la estancia
sheet	la sábana
packed lunch	el paquete de almuerzo
rules	el reglamento
tasks	las tareas
visitor	el/la visitante
responsible for	responsable de

Silencio

después de las 23h

BASIC PHRASES

Have you any beds free?	¿Tiene camas libres?
Where can you get something to eat?	¿Dónde se puede comprar algo para comer?
It's 500 pesetas per person per night	Son quinientas pesetas por persona por noche
At what time does the youth hostel shut?	¿A qué hora se cierra el albergue?
Is there a supermarket near here?	¿Hay un supermercado por aquí?

I'd like to hire two sleeping-bags	**Quisiera alquilar dos sacos de dormir**
Can you prepare us four packed lunches, please?	**¿Puede prepararnos cuatro paquetes de almuerzo, por favor?**
Where can I keep my money?	**¿Dónde puedo guardar mi dinero?**
Are you not allowed to eat in the dormitories?	**¿No se permite comer en los dormitorios?**
What do I have to do before leaving?	**¿Qué tengo que hacer antes de marcharme?**

Holiday home

BASIC VOCABULARY

an apartment	**un apartamento**
villa, bungalow	**un chalet, un chalé**
capacity (number of people)	**la capacidad**
description	**la descripción**
locality	**la localidad**
situated	**situado**
view	**la vista**
bedroom	**el dormitorio**
kitchen	**la cocina**
bathroom	**el cuarto de baño**
lounge	**el salón**
furniture	**los muebles**
garden	**el jardín**
car park	**el parking, el aparcamiento**
swimming pool	**la piscina**
to rent	**alquilar**
equipped (with)	**equipado (de)**
fridge	**el frigorífico**
washing machine	**la lavadora**
bedding	**la ropa de cama**
cutlery	**los cubiertos**
gas	**el gas**
electricity	**la electricidad**
key	**la llave**

recently built	**de reciente construcción**
residential area	**la zona residencial**
green zone	**la zona verde**
to possess	**poseer**
in good condition	**en buenas condiciones**
in bad condition	**en malas condiciones**
to grow	**cultivar**
harvest	**la cosecha**
vine grower	**el viticultor**
vineyard	**la viña**
hunting	**la caza**
fishing	**la pesca**

Holiday homes advertised in the press: what is available?

> **MARBELLA** alquilo vivienda tres dormitorios, junto playa.

> **MALLORCA** bahía de Alcudia, a 200 metros playa, puerto deportivo. Magníficos chalets – dos dormitorios dobles, armarios, cocina amueblada, sótano etc. Terrazas, aparcamiento. Zona residencial, mucho pinar, muchas facilidades.

HIGHER VOCABULARY

a dwelling	**una vivienda**
a studio apartment	**un estudio**

> **PLAYA** Gandía, particular alquila apartamento lujo, piscina, garaje, vistas mar.

8 Food and drink

Items of food and drink

BASIC VOCABULARY

food	la comida	lemon	el limón
to eat	comer	melon	el melón
drink	la bebida	orange	la naranja
to drink	beber	peach	el melocotón
to have something to eat/drink	tomar	pear	la pera
		pineapple	la piña
		strawberry	la fresa
meat	la carne		
beef	la carne de vaca	vegetables	las legumbres, las verduras
pork	la carne de cerdo	broad beans	las habas
lamb	la carne de cordero	green beans	las judías verdes
veal	la carne de ternera	garlic	el ajo
ham	el jamón	mushrooms	los champiñones
cooked ham	el jamón de York	onion	la cebolla
smoked ham	el jamón serrano	potato	la patata
chicken	el pollo	chips	las patatas fritas
sausage	la salchicha	tomato	el tomate
salami	el chorizo		
steak	el bistec	drinks	las bebidas
chop	la chuleta	aperitif	el aperitivo
fillet, steak	el filete	Coca-Cola	la Coca-Cola
		coffee	el café
fish	el pescado	black coffee	el café solo
sardine	la sardina	white coffee	el café con leche
prawns	las gambas	cold drink	el refresco
squid	los calamares	fruit juice	el zumo de fruta
egg	el huevo	lemonade	la limonada
omelette	la tortilla	milk	la leche
Spanish omelette	la tortilla española	orangeade	la naranjada
fried	frito	fizzy drink	la gaseosa
paella (fried rice with meat/shellfish)	la paella	tea	el té
		with milk	con leche
fruit	las frutas	with lemon	con limón
apple	la manzana	water	el agua (f)
banana	el plátano	mineral water	el agua mineral
grapes	las uvas	carbonated	con gas

(BASIC VOCABULARY)

still (without gas)	**sin gas**
beer	**la cerveza**
wine	**el vino**
white wine	**el vino blanco**
red wine	**el vino tinto**
sangría (red wine with fruit)	**la sangría**
to be thirsty	**tener sed**
bread	**el pan**
bread roll	**el panecillo**
groceries	**los comestibles**
jam	**la mermelada**
sugar	**el azúcar**
salt	**la sal**
vinegar	**el vinagre**
oil	**el aceite**
mustard	**la mostaza**
snacks	**los bocadillos**
to be hungry	**tener* hambre (tengo)**
sandwich	**el sandwich**
hamburger	**la hamburguesa**
hot dog	**el perrito caliente**
appetiser, bar snack	**la tapa**
fritter	**el churro**
crisps	**las patatas fritas**
chips	**las patatas fritas**
sweets	**los dulces, los caramelos**
chocolate	**el chocolate**
meals	**las comidas**
breakfast	**el desayuno**
to have breakfast	**desayunar**
lunch	**la comida**
snack	**la merienda**
supper	**la cena**
to have supper	**cenar**
soup	**la sopa**
salad	**la ensalada**
Russian salad	**la ensaladilla**
mixed salad	**la ensalada mixta**

cold soup made with tomato, onion, cucumber, garlic, oil	**el gazpacho andaluz**
sweet, dessert	**el postre**
fruit	**la fruta**
ice cream	**el helado**
caramel cream	**el flan**
tart, small cake	**la tarta**
cake	**el pastel**
cream	**la nata**
cheese	**el queso**
yoghurt	**el yogur**
to like	**gustar (me gusta)**
to prefer	**preferir* (prefiero)**
to hate	**detestar**
delicious	**delicioso**
tasty	**rico**
spicy, highly seasoned	**picante**
like	**como**
hot	**caliente**
cold	**frío**

HIGHER VOCABULARY

roast	**asado**
meat balls	**las albóndigas**
salami-type sausage	**el salchichón**
pork	**el lomo**
shellfish	**los mariscos**
clam	**la almeja**
mussel	**el mejillón**
cod	**el bacalao**
hake	**la merluza**
octopus	**el pulpo**
trout	**la trucha**
tuna	**el atún**
champagne	**el champán**
cider	**la sidra**
fruit juice	**el jugo de fruta**
sherry	**el jerez**

drink made with crushed almonds, sugar, water	la horchata	to try	probar* (pruebo)
		smell	el olor
		to smell of	oler* a (huele)
drunk	borracho	to taste of	saber a
		to hate	odiar
small coffee with just a drop of milk	un cortado	lunch	el almuerzo
		to have lunch	almorzar* (almuerzo)
decaffeinated	descafeinado	to have a snack	merendar*
to add	añadir		(meriendo)
apricot	el albaricoque		
cherry	la cereza	ice cream	el mantecado
		vanilla	la vainilla
artichoke	la alcachofa	hazelnut	la avellana
asparagus	el espárrago	coconut	el coco
cabbage	la col		
carrot	la zanahoria	biscuits	las galletas
cauliflower	la coliflor	sweets	los bombones
lettuce	la lechuga	nougat	el turrón
peas	los guisantes	nut	la nuez (pl.
pepper (veg.)	el pimiento		las nueces)
mixed vegetables	la menestra		
		olives	las aceitunas
pepper (spice)	la pimienta	a portion of	una ración de
rice	el arroz		
butter	la mantequilla	in garlic sauce	al ajillo
flour	la harina	spaghetti bolognese	el espaguetti boloñesa
loaf of bread	una barra de pan		
well done (meat)	muy hecho		
rare	poco hecho		
raw	crudo		

Restaurants and cafés

bar	el bar	to book	reservar
restaurant	el restaurante	table	la mesa
café	el café	in the name of	a nombre de
snack bar	la cafetería	free	libre
self-service	autoservicio	to wait	esperar
waiter	el camarero (la camarera)	toilets	los servicios
customer	el/la cliente	telephone	el teléfono

(BASIC VOCABULARY)

cheers!	**¡salud!**
please	**por favor**
thank you	**gracias**
to recommend	**recomendar★**
	(recomiendo)
good	**bueno**
bad	**malo**
more	**más**
enough	**bastante**
a lot	**mucho**
a little	**un poco**
menu	**el menú, la carta**
wine list	**la lista de vinos**
to bring	**traer★ (traigo)**
immediately	**en seguida**
to want	**querer★ (quiero),**
	desear
to sit	**sentarse★ (me siento)**
terrace	**la terraza**
near (to)	**cerca de**
far from	**lejos de**
door	**la puerta**
window	**la ventana**
for me	**para mí**
to decide	**decidir**
anything else?	**¿algo más?**
nothing else	**nada más**

What is on offer here?

DESAYUNOS

PLATOS COMBINADOS

SANDWICHES

BOCADILLOS

POSTRES VARIADOS

bottle	**la botella**
half	**medio**
meal	**la comida**
dish of the day	**el plato del día**
menu of the day	**el menú (del día)**
to be missing	**faltar**
knife	**el cuchillo**
fork	**el tenedor**
spoon	**la cuchara**
plate	**el plato**
glass	**el vaso**
sherry/brandy glass	**la copa**
table-cloth	**el mantel**
clean	**limpio**
dirty	**sucio**
to change	**cambiar**
to share	**compartir**
to start	**de primero**
hors d'œuvres	**los entremeses**
next	**después**
for the second course	**de segundo**
for dessert	**de postre**
bill	**la cuenta**
to pay	**pagar**
tip	**la propina**
service charge	**el servicio**
included	**incluído**
not included	**no incluído**
VAT	**IVA**
to cost	**costar★ (cuesta)**

HIGHER VOCABULARY

reservation	**la reserva**
enjoy your meal!	**¡que aproveche!**
atmosphere	**el ambiente**
welcoming	**acogedor (acogedora)**
pâté	**el paté**
clear soup	**el consomé**
main course	**el plato principal**

(HIGHER VOCABULARY)

a mixed dish	**un plato combinado**	the bar (within café)	**la barra**
speciality	**la especialidad**		
stew (meat)	**el cocido**	I don't mind	**me es igual**
stew made with broad beans, pork, etc.	**la fabada (asturiana)**	that's enough!	**¡basta!**
		that's not suitable	**no me conviene**
to choose	**escoger* (escojo)**	parking attendant	**el (servicio) guardacoches**
to ask for, to order	**pedir* (pido)**		
to charge	**cobrar**		
to owe	**deber**		
cover charge	**el cubierto**		
fruit in its own juice	**en almíbar**		
with cream	**con nata**		
to complain	**quejarse**		
the complaints book	**el libro de reclamaciones**		
mistake	**el error**		
to make a mistake	**equivocarse**		
grilled	**a la parrilla**		
vegetarian	**vegetariano**		
to drink?	**¿para beber?**		
house wine	**el vino de la casa**		
a carafe	**una garrafa**		
draught beer	**la cerveza de barril**		

How many of these dishes can you recognise?

BASIC PHRASES

Can I reserve a table?	**¿Puedo reservar una mesa?**
For tomorrow at 8.30 p.m.	**Para mañana a las ocho y media**
Is that all right?	**¿Vale?**
There are two of us	**Somos dos**
Waiter, bring the menu, please	**Camarero, traiga la carta, por favor**
What do you recommend?	**¿Qué recomienda usted?**
What's the paella like?	**¿Qué tal la paella?**
To drink, a bottle of red wine	**Para beber, una botella de vino tinto**

HIGHER PHRASES

Could you explain what this is?	**¿Me puede decir qué es?**
Is the service charge included	**¿Se incluye el servicio?**
I'd like the steak well done	**Quisiera el bistec muy hecho**
Let's try the chicken in garlic sauce	**Vamos a probar el pollo al ajillo**
Isn't there a mistake?	**¿No hay un error?**
I'm starving	**Tengo una hambre que me mata**

9 Shopping

Shops and goods sold (excluding food)

BASIC VOCABULARY

shop	**la tienda**
baker's	**la panadería**
butcher's	**la carnicería**
cake shop	**la pastelería**
confectioner's	**la confitería**
dairy	**la lechería**
fishmonger's	**la pescadería**
fruiterer's	**la frutería**
grocer's	**la tienda de ultramarinos**
bookshop	**la librería**
book	**el libro**
newspaper stall in street	**el quiosco**
newspaper	**el periódico**
magazine	**la revista**
comic	**el tebeo**
department store	**los grandes almacenes**
hairdresser's	**la peluquería**
jeweller's	**la joyería**
jewels	**las joyas**
gold	**el oro**
silver	**la plata**
made of gold	**de oro**
market	**el mercado**
supermarket	**el supermercado**
perfume shop	**la perfumería**
perfume	**el perfume**
shoe shop	**la zapatería**
shoes	**los zapatos**
boots	**las botas**

souvenir shop	**la tienda de recuerdos**
record	**el disco**
guitar	**la guitarra**
castanets	**las castañuelas**
pottery	**la cerámica**
photo	**la foto**
present	**el regalo**
drugstore	**la droguería**
soap	**el jabón**
toothpaste	**la pasta de dientes**
toothbrush	**el cepillo de dientes**
comb	**el peine**
tobacconist's	**el estanco**
matches	**las cerillas**
cigarettes	**los cigarrillos**
cigar	**el puro**
stamp	**el sello**
postcard	**la postal, la tarjeta**
envelope	**el sobre**
watch and clock shop	**la relojería**
watch, clock	**el reloj**
wine cellar	**la bodega**

HIGHER VOCABULARY

food shop	**la alimentación**
stall (on market)	**el puesto**
clothes shop	**la tienda de confecciones**
boutique	**la boutique**
hypermarket	**el hipermercado**
pork butcher's	**la tocinería**
dry cleaner's	**la tintorería**
tailor	**el sastre**

(HIGHER VOCABULARY)

imitation jewellery	**la bisutería**	cigarette lighter	**el encendedor,**
earrings	**los pendientes**		**el mechero**
necklace	**el collar**	paper handkerchief	**el tisú**
chain	**la cadena**	film (for camera)	**un rollo fotográfico,**
bracelet	**la pulsera**		**un carrete para fotos**
ring	**el anillo, la sortija**	transparency	**la diapositiva**
doll	**la muñeca**		
fan	**el abanico**	make-up	**el maquillaje**
glass wine jar (with a	**un porrón**	lipstick	**la barra de labios**
long spout)		shaving cream	**la crema de afeitar**
earthenware jug	**un botijo**	cologne, after-shave	**la colonia**
pipe	**la pipa**		

What kinds of shop are being advertised here?

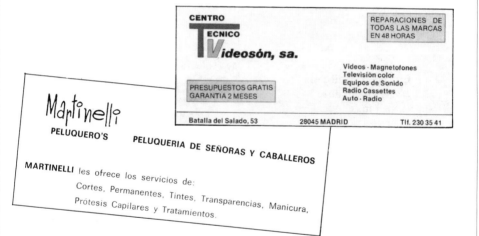

Clothes

BASIC VOCABULARY

clothes	**la ropa**	tight	**estrecho**
to put on	**ponerse* (me pongo)**	too	**demasiado**
to wear	**llevar**		
		belt	**el cinturón**
short	**corto**	boots	**las botas**
long	**largo**	blouse	**la blusa**
big	**grande**	dress	**el vestido**
small	**pequeño**	gloves	**los guantes**

(BASIC VOCABULARY)

hat	**el sombrero**
jacket	**la chaqueta**
jeans	**los vaqueros,**
	los tejanos
pullover	**el jersey**
pyjamas	**el pijama**
raincoat	**el impermeable**
shirt	**la camisa**
shoes	**los zapatos**
skirt	**la falda**
suit	**el traje**
swimming costume	**el traje de baño**
tie	**la corbata**
trousers	**el pantalón**
umbrella	**el paraguas**
handkerchief	**el pañuelo**
pair	**el par**
pocket	**el bolsillo**
leather	**el cuero**
plastic	**el plástico**
wool	**la lana**

HIGHER VOCABULARY

(leather) jacket	**la cazadora (de piel)**
sandals	**las sandalias**
socks	**los calcetines**
swimsuit	**el bañador**
tee-shirt	**la camiseta**
tights	**ias medias**
women's clothes	**la ropa de señora**

men's clothes	**la ropa de caballero**
cloth	**la tela**
cotton	**el algodón**
leather	**la piel**
nylon	**el nilón**
silk	**la seda**
checked	**a cuadros**
	(de cuadros)
striped	**a rayas (de rayas)**
model	**el modelo**
sleeve	**la manga**
short-sleeved	**de manga corta**
to be in fashion	**estar de moda**
in the latest fashion	**de última moda**
quality	**la calidad**
to try on	**probarse★**
	(me pruebo)
changing room	**el probador**
to wear/put on shoes	**calzar**
size (clothes)	**el tamaño, la talla**
size (shoes)	**el número**
small size	**talla pequeña**
medium size	**talla media**
large size	**talla grande**
label	**la etiqueta**
to suit	**ir★ bien a (me va)**

BASIC PHRASES

I'd like to see some jeans, please	**Quisiera ver unos vaqueros, por favor**
How much is it?	**¿Cuánto vale?**
What's it made of?	**¿De qué es?**

HIGHER PHRASES

I'd like to try it on	**Quisiera probármelo**
It really suits you	**Te va muy bien**
Have you got the same tee-shirt in blue?	**¿Tiene la misma camiseta en azul?**

General shopping vocabulary

BASIC VOCABULARY

to do the shopping	hacer★ la compra (hago)
to go shopping	ir★ de compras (voy)
to buy	comprar
to sell	vender
to open	abrir(se)
open	abierto
to close, to shut	cerrar★ (cierro)
closed, shut	cerrado
to serve	servir★ (sirvo)
to want	querer★ (quiero), desear
to look for	buscar
shopkeeper	el tendero (la tendera)
customer	el/la cliente
sales assistant	el dependiente (la dependienta)
cashier	el cajero (la cajera)
What can I do for you?	¿en qué puedo servirle (servirla)?
I should like	quisiera
give me	déme, póngame
here you are	aquí tiene
anything else?	¿algo más?
nothing else	nada más
how much is it?	¿cuánto es?, ¿cuánto vale?
how much is it altogether?	¿cuánto es todo?
a bit	un poco
more	más
less	menos
that's fine	está bien, vale
I'll take it	me lo quedo, me lo llevo
to pay	pagar
price	el precio
cheap	barato
expensive	caro

too	demasiado
too expensive	demasiado caro
free	libre, gratis

Which items are on offer here?

Arroz
FALLERA, 2 kg.

Aceite de oliva
CARBONELL, 0,4°, L.

Galletas
TOSTA-RICA, kg.

(BASIC VOCABULARY)	
free admission	**entrada libre, gratis**
free	**gratuito** (*adj.*)
list	**la lista**
basket	**la cesta**
thing	**la cosa**
something	**algo**
different	**diferente**
a sort, a kind	**un tipo**
another	**otro**
better	**mejor**
a sale	**una venta,**
	una liquidación
reductions	**las rebajas**
offer	**la oferta**
special	**especial**
ground floor	**la planta baja**
first floor	**el primer piso,**
	la primera planta
second	**segundo**
third	**tercero**
fourth	**cuarto**
fifth	**quinto**
sixth	**sexto**
stairs	**las escaleras**
lift	**el ascensor**
till, cash desk	**la caja**
department	**la sección**
record department	**la sección de discos**
push (on door)	**empujar**
pull (on door)	**tirar**
quantity	**la cantidad**
a bottle (of)	**una botella (de)**
a packet (of)	**un paquete (de)**
a box (of)	**una caja (de)**
a tin (of)	**una lata (de)**
a litre (of)	**un litro (de)**
half a litre (of)	**medio litro (de)**
a kilo (of)	**un kilo (de)**
half a kilo (of)	**medio kilo (de)**
250 grams (of)	**doscientos**
	cincuenta gramos (de)

100 grams (of)	**cien gramos (de)**
a dozen	**una docena (de)**
half a dozen	**media docena (de)**
money	**el dinero**
coin	**la moneda**
purse	**el monedero**
note	**el billete**
wallet	**el billetero**
peseta	**la peseta**
5-peseta coin	**un duro**

HIGHER VOCABULARY

to queue	**hacer★ cola (hago)**
to show	**mostrar★ (muestro),**
	enseñar
to need	**necesitar**
to offer	**ofrecer★ (ofrezco)**
to wrap	**envolver★ (envuelvo)**
to give back	**devolver★ (devuelvo)**
to charge	**cobrar**
to cost	**costar★ (cuesta)**
to spend (money)	**gastar**
to count	**contar★ (cuento)**
row	**la fila**
counter	**el mostrador**
basement	**el sótano**
shop window	**el escaparate**
to window shop	**mirar escaparates**
a range, selection	**un surtido**
discount	**el descuento**
reduction	**la reducción**
trolley	**el carrito**
bag	**la bolsa**
home delivery	**servicio a domicilio**
change (small coins)	**el dinero suelto**
bargain	**la ganga**
credit card	**la tarjeta de crédito**
a jar/pot of	**un tarro de**
best before	**caduca**

BASIC PHRASES

Give me a kilo of apples, please	**Déme un kilo de manzanas, por favor**
What time does this department store close?	**¿A qué hora se cierran estos almacenes?**
Do you sell stamps here?	**¿Se venden sellos aquí?**
Where is the lift?	**¿Dónde está el ascensor?**
Have you got any postcards of the cathedral?	**¿Tiene usted postales de la catedral?**

HIGHER PHRASES

Can you wrap it up, please?	**¿Puede envolverlo, por favor?**
Excuse me! Where can I find the sports department?	**¡Perdone! ¿Dónde puedo encontrar la sección de deportes?**
I'm sorry, but I haven't any change	**Lo siento, pero no tengo dinero suelto**

Signs and labels

En abril, Ofertas Mil

HIPERMERCADO
ALCAMPO
Fulminamos los precios.

REBAJAS
FANTASTICAS

¡OFERTA!

Dia %
Autoservicio descuento.

HORARIO:
De Lunes a Sábado
Mañanas de 9,30 a 1,30
—
Tardes de Lunes a Viernes
de 4 a 8,00

10 Health and welfare

head	la cabeza	to cut	cortar(se)
ear	la oreja	to break	romper(se)
eye	el ojo	injured, hurt	herido
face	la cara	pale	pálido, a
hair	el pelo		
mouth	la boca	doctor	el médico
nose	la nariz	dentist	el dentista
tooth	el diente	chemist's	la farmacia
		open 24 hours, on call	de guardia
arm	el brazo	medicine	la medicina
hand	la mano	aspirins	las aspirinas
finger	el dedo	to take	tomar
leg	la pierna	to advise	aconsejar
foot	el pie	to rest	descansar
toe	el dedo del pie	accident	el accidente
stomach	el estómago	serious	grave
		to bump into	chocar con
to hurt	tener* dolor de	to help	ayudar
	(tengo)	urgent	urgente
	doler* (me duele)	ambulance	la ambulancia
to be well	estar* bien (estoy)	hospital	el hospital
to be ill	estar* (enfermo,	nurse	el enfermero
	malo)		(la enfermera)
to feel ill	sentirse* mal (me	worried	preocupado
	siento mal)	to cry	llorar
to feel well	sentirse* bien	insurance	los seguros
to be hot	tener* calor (tengo)		
to be cold	tener* frío	firefighter	el bombero
to be sleepy	tener* sueño	smoke	el humo
to be hungry	tener* hambre		
to be thirsty	tener* sed	help!	¡socorro!
		be careful	¡cuidado!
ill	enfermo	watch out	¡ojo!
sick	mareado	ouch!	¡ay!
to feel sick	estar* mareado		
	(estoy)		
to have a cold	estar* constipado		
a cold, catarrh	un constipado		

HIGHER VOCABULARY

health	la salud	cough	la tos
forehead	la frente	to cough	toser
hair	el cabello	illness	la enfermedad
lips	los labios	diarrhoea	la diarrea
(back) tooth	la muela		
body	el cuerpo	to make an	pedir* hora
ankle	el tobillo	appointment	(pido)
back	la espalda	surgery, consulting	la consulta
chest	el pecho	room	
elbow	el codo	clinic	la clínica
heart	el corazón	first-aid post	la casa de socorro
knee	la rodilla	Red Cross	la Cruz Roja
neck	el cuello		
shoulder	la espalda	to examine	examinar
stomach	el vientre	to breathe	respirar
throat	la garganta	to cure	curar
		treatment	el tratamiento
voice	la voz	injection	la inyección
		to stay in bed	guardar cama
blood	la sangre	to get better	mejorarse
bone	el hueso	prescription	la receta
skin	la piel	to prescribe	recetar
to hurt oneself	hacerse* daño	bandage	la venda
	(me hago)	to bandage	vendar
to burn oneself	quemarse	to complain about	quejarse de
burn	la quemadura	to suffer	sufrir
sunstroke	la insolación	to tremble	temblar* (tiemblo)
to twist	torcer* (tuerzo)	diet	el régimen, la dieta
to feel sick, to be	marearse		
travel sick		to take out a tooth	sacar una muela
travel sickness, sea	el mareo	a filling	un empaste
sickness		to fill	empastar
to be sick	vomitar		
to sweat	sudar	to swell	hincharse
to have a temperature	tener* fiebre (tengo)	swollen	hinchado
to faint	desmayarse	a sting	una picadura
to injure, to hurt	herir* (hiero)	to sting	picar
injury, wound	la herida	to bite	morder* (muerdo)
		to tread on	pisar
cold	el resfriado,	bee	la abeja
	el catarro	wasp	la avispa
to catch	coger	to fall	caerse* (me caigo)
flu	la gripe	a hole	un agujero

(HIGHER VOCABULARY)

remedy	**el remedio**	teaspoonful	**la cucharadita**
to need	**necesitar**	once	**una vez**
to recommend	**recomendar★**	twice	**dos veces**
	(recomiendo)	per day	**al día**
to protect	**proteger**		
		weak	**débil**
cream	**la crema**	worn out	**agotado**
antiseptic	**el antiséptico**	alive	**vivo**
tablet	**la pastilla**	dead	**muerto**
sticking plaster	**la tirita**	to die	**morir★ (muere)**
syrup	**el jarabe**	to drown	**ahogarse**
cough mixture	**el jarabe para la tos**		
drug	**la droga**	to avoid	**evitar**
ointment	**la pomada**	disaster	**el desastre**
drops	**las gotas**	to be worried	**preocuparse**
to swallow	**tragar**	fire	**el incendio**
		safe and sound	**sano y salvo**

Labels on medicine

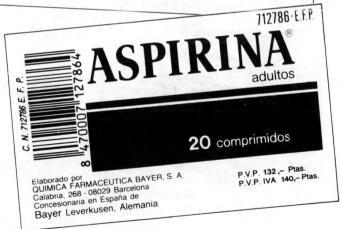

CREMA

INDICACIONES

El propionato de clobetasol es un corticosteroide tópico muy activo, especialmente indicado en el tratamiento a corto plazo de las dermatosis más resistentes, tales como psoriasis, eczemas recidivantes, liquen plano, lupus eritematoso discoide y otras afecciones que no responden satisfactoriamente a esteroides menos activos.

712786-E.F.P.

ASPIRINA®

adultos

20 comprimídos

C. N. 712786. E. F. P.

8 470007 127864

Elaborado por
QUIMICA FARMACEUTICA BAYER, S. A.
Calabria, 268 - 08029 Barcelona
Concesionaria en España de
Bayer Leverkusen, Alemania

P.V.P. **132,–** Ptas.
P.V.P. IVA **140,–** Ptas.

BASIC PHRASES

I don't feel well	**No me siento bien**
I've got a headache	**Me duele la cabeza**
Have you any aspirins?	**¿Tiene aspirinas?**
How are you?	**¿Cómo estás?**
Can you help me?	**¿Me puede ayudar?**

HIGHER PHRASES

I've got a sore throat and a temperature	**Me duele la garganta y tengo fiebre**
Call a doctor, immediately!	**¡Llame a un médico, en seguida!**
I think I have broken my leg	**Creo que me he roto la pierna**
My father has twisted his ankle	**Mi padre se ha torcido el tobillo**
Can you recommend something for me?	**¿Me puede recomendar algo?**

What is being advertised here?

**CENTRO MEDICO
«DELICIAS 30»
ACUPUNTURA – AURICULOPUNTURA
LASER
ELECTROPUNTURA**

FARMACIAS

Farmacias en servicio de urgencia día y noche, ininterrumpidamente.

Tetuán-Fuencarral-Peña Grande y barrio del Pilar: Hernani, 19 / Isidro Fernández, 11 (colonia Virgen de Begoña) / Gabilanes, 10 (Puerta de Hierro) / La Bañeza, 43 (barrio del Pilar).
Universidad-Moncloa: Ferraz, 33.
Chamberí: Eloy Gonzalo, 31.
Centro-Latina: Plaza de San Ildefonso, 4 / Hortaleza, 44.

11 Services

Bank

BASIC VOCABULARY		HIGHER VOCABULARY	
bank	**el banco**	savings bank	**la caja de ahorros**
cashier	**el cajero (la cajera)**	to save	**ahorrar**
cash till	**la caja**	to cash	**cobrar**
cheque	**el cheque**	deposits	**ingresos**
traveller's cheque	**el cheque de viaje/**	payments	**pagos**
	de viajero	service till	**la ventanilla de pagos**
to change	**cambiar**	to withdraw money	**sacar dinero**
money	**el dinero**	credit card	**la tarjeta de crédito**
coin	**la moneda**	to fill in	**rellenar**
pound	**la libra esterlina**	to open an account	**abrir una cuenta**
bank-note	**el billete (de banco)**	passbook	**la libreta**
exchange bureau	**el cambio**	commission	**la comisión**
window	**la ventanilla**		
to sign	**firmar**		
passport	**el pasaporte**		
form	**un formulario**		

What does this advertisement mean?

 **BANCOBAO** **¿SALE USTED DE VACACIONES?**
PODEMOS ORIENTARLE
EN TODO LO RELACIONADO
CON EL DINERO.
CONSULTENOS.

Post office

BASIC VOCABULARY

post office	**(el) correos**	parcel	**el paquete**
to send	**mandar**	stamp	**el sello**
letter	**la carta**	envelope	**el sobre**
postcard	**la postal, la tarjeta**		

	(BASIC VOCABULARY)			
postman	**el cartero**	destination	**el destino**
address	**la dirección**	sender	**el expedidor,**
to post a letter	**echar una carta**		**el remitente**
telegram	**el telegrama**	the person to whom it	**el destinatario**
urgent	**urgente**	is being sent	**(la destinataria)**
to sign	**firmar**	town, city	**la población**
form	**el formulario**	to send a telegram	**poner* un telegrama**
word	**la palabra**		**(pongo)**
to cost	**valer**		
		authorised	**autorizado**
		to identify oneself	**identificarse**
	HIGHER VOCABULARY	to hand over	**entregar**
		to pick up	**recoger* (recojo)**
registered	**certificado**	to weigh	**pesar**
to register	**certificar**	weight	**el peso**
to fill in	**rellenar**		
form	**el impreso**	giro	**el giro postal**
capital letters	**las letras mayúsculas,**	receipt	**el recibo**
	los caracteres de	signature	**la firma**
	imprenta	letter box	**el buzón**
address	**las señas**	collection (of mail)	**la recogida**
postcode	**el código postal**	by return (of post)	**a vuelta de correo**

Lost property

BASIC VOCABULARY

lost-property office	**la oficina de objetos**	big	**grande**
	perdidos	small	**pequeño**
to lose	**perder* (pierdo)**	quite	**bastante**
to find	**encontrar***	new	**nuevo**
	(encuentro)	old	**viejo**
to leave (thing)	**dejar**	handbag	**el bolso**
to steal	**robar**	purse	**el monedero**
thief	**el ladrón**	wallet	**la cartera**
to think (that)	**creer (que)**	glasses	**las gafas**
		umbrella	**el paraguas**
to describe	**describir**	watch	**el reloj**
description	**la descripción**	camera	**la máquina**
make	**la marca**		**fotográfica/de fotos**

(BASIC VOCABULARY)		HIGHER VOCABULARY	
inside	dentro	to happen	ocurrir
money	el dinero	to notify	avisar
key	la llave	detail	el detalle
diary	la agenda	to remember	recordar* (recuerdo),
photo	la foto		acordarse*
handkerchief	el pañuelo		(me acuerdo)
traveller's cheques	los cheques de viaje	to forget	olvidar
		to find	hallar
		to belong	pertenecer
		to realise	darse* cuenta
			(me doy)

BASIC PHRASES

I've lost a bag	Perdí un bolso
I think I left it in the restaurant	Creo que lo dejé en el restaurante
What's it like?	¿Cómo es?
It's quite big and made of leather	Es bastante grande y es de cuero

HIGHER PHRASES

I've lost my wallet	He perdido la cartera
What was inside?	¿Qué había dentro?
It has my name and address on it	Lleva mi nombre y mi dirección

Police

BASIC VOCABULARY			
police station	la comisaría	traffic	el tráfico
police	la policía	fine	la multa
policeman	el guardia	to give a fine	poner* una multa
civil guard	el guardia civil		(pongo)
to rob, to steal	robar	fault, blame	la culpa
a robbery	un robo	to bump into	chocar con
thief	el ladrón	accident	el accidente
gun	la pistola		
to try to	tratar de		
to break	romper	HIGHER VOCABULARY	
		to discover	descubrir
to describe	describir	to report	denunciar
description	la descripción	crime	el delito, el crimen

(HIGHER VOCABULARY)

hold-up	el atraco	to hide	esconderse
to hold up (bank, etc.)	atracar	to disappear	desaparecer*
kidnapping	el secuestro		(desaparezco)
to kidnap	secuestrar		
ransom	el rescate	terrorist	el terrorista
murder	el homicidio	rifle	el fusil
		shotgun	la escopeta
criminal, offender	el delincuente		
hooligan	el gamberro	suspicious	sospechoso
		to recognise	reconocer*
to attack	atacar		(reconozco)
to threaten	amenazar	to notify, to warn	avisar
		to point out	indicar
blow	el golpe	detail	el detalle
to hit	golpear, pegar	to arrest	detener* (detengo)
to force, to break into	forzar* (fuerzo)	prison	la cárcel
to smash	destrozar	grateful	agradecido
to destroy	destruir* (destruyo)	to give back	devolver* (devuelvo)
to kill	matar	reward	la recompensa
		culprit, offender	el/la culpable
witness	el testigo	guilty (adj.)	culpable
passer-by	el transeúnte		
shock	el susto	strike	la huelga
to get a shock	asustarse	demonstration	la manifestación
to knock down	atropellar	placard	el letrero
to escape	escaparse	freedom	la libertad

Telephone

BASIC VOCABULARY

telephone	el teléfono	long-distance	interurbano
to ring up	telefonear	international	internacional
to call	llamar por teléfono		
to speak to	hablar con		
phone number	el número de		
	teléfono		

HIGHER VOCABULARY

phone directory	la guía telefónica	a wrong number	un número
phone booth	la cabina		equivocado
nought	cero	to get the wrong	equivocarse de
hello	¡dígame!	number	número
to dial	marcar	a call	una llamada,
to answer	contestar		una conferencia
		to ring (of the phone)	sonar* (suena)

(HIGHER VOCABULARY)

dialling tone	**el tono de marcar**
warning tone	**el tono de aviso**
a reverse-charge call	**una llamada a cobro revertido**
area code	**el prefijo**
handset	**el aparato**

to pick up the receiver	**descolgar*** **(descuelgo)**
to put in coins	**introducir monedas**
to hang up	**colgar* (cuelgo)**
to be engaged	**estar comunicando**
to leave a message	**dejar un recado**
a telephone booth	**un locutorio**

BASIC PHRASES

It's me (on phone)	**Soy yo**
It's Carol speaking	**Soy Carol**
Is Paco there?	**¿Está Paco?**
He/She is not in	**No está**
Who is calling?	**¿De parte de quién?**

HIGHER PHRASES

I would like to reverse the charges	**Quisiera hacer una llamada a cobro revertido**
You've got the wrong number	**Se ha equivocado de número**
Can I leave a message?	**¿Puedo dejar un recado?**
Tell her/him to ring me when she/he comes back, please	**Dile que me llame cuando vuelva, por favor**
Don't hang up!	**¡No cuelgue!**

Which telephone services are being offered here?

• INFORMACION
  METEOROLOGICA

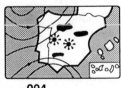

094

• INFORMACION
  HORARIA

093

•INFORMACION
 RENFE

733 22 00
733 30 00

12 Geography

Buildings

building	**el edificio**	hotel	**el hotel**
place	**el sitio, el lugar**	campsite	**el camping**
square	**la plaza**		
bullring	**la plaza de toros**	cinema	**el cine**
		theatre	**el teatro**
museum	**el museo**	disco	**la discoteca**
monument	**el monumento**	swimming baths	**la piscina**
castle	**el castillo**	library	**la biblioteca**
cathedral	**la catedral**	stadium	**el estadio**
tourist office	**la oficina de turismo**	sports centre	**el polideportivo**
airport	**el aeropuerto**	market	**el mercado**
railway station	**la estación de ferrocarril**	shop	**la tienda**
		café	**la cafetería, el café**
bus station	**la estación de autobuses**	restaurant	**el restaurante**
		bar	**el bar**
		farm	**la granja**
garage	**el garaje**	bridge	**el puente**
service station	**la estación de servicio**		

hospital	**el hospital**	wall (of town)	**la muralla**
police station	**la comisaría**	tower	**la torre**
		zoo	**el zoo**
bank	**el banco**	funfair	**el parque de atracciones**
post office	**(el) correos**		
town hall	**el ayuntamiento**	shopping centre	**el centro comercial**
travel agent's	**la agencia de viajes**		

Nature and location

wood	**el bosque**	field	**el campo**
tree	**el árbol**	park	**el parque**
flower	**la flor**	grass	**la hierba**

(BASIC VOCABULARY)	
river	el río
sea	el mar
edge	la orilla
on the banks of	a orillas de
at the seaside	a orillas del mar
beach	la playa
coast	la costa
port	el puerto
country	el país
area	la región
province	la provincia
town	el pueblo
city	la ciudad
historic	histórico
industrial	industrial
countryside	el campo
valley	el valle
lake	el lago
mountain	la montaña
mountain range	la sierra
mountainous	montañoso
flat	llano
top, peak	la cima
earth, land	la tierra
countryside, landscape	el paisaje
the district (of a town)	el barrio
outskirts	las afueras
to be situated	estar* situado (está)
north	el norte
east	el este
south	el sur
west	el oeste
metre	el metro
kilometre	el kilómetro

near	cerca (de)
far	lejos (de)
in front of	delante (de)
behind	detrás (de)
opposite	enfrente (de)
between	entre
next to	al lado (de)
above	arriba
below	abajo
surrounded by	rodeado de
peaceful, quiet	tranquilo
noise	el ruido
inhabitant	el/la habitante
a thousand	mil
a million	un millón

HIGHER VOCABULARY	
forest	la selva
hill	la colina
summit, top	la cumbre
island	la isla
peninsula	la península
bay	la bahía
village	la aldea
housing development	la urbanización
housing	la vivienda
tourist (*adj.*)	turístico
agricultural	agrícola
picturesque	pintoresco
agriculture, farming	la agricultura
noisy	ruidoso
lively	animado
North Sea	el Mar del Norte
English Channel	el Canal (de la Mancha)
Atlantic Ocean	el Océano Atlántico
Mediterranean Sea	el Mar Mediterráneo
mediterranean (*adj.*)	mediterráneo

(HIGHER VOCABULARY)

Alps	**los Alpes**	inhabitant of/from	**madrileño**
Pyrenees	**los Pireneos**	Madrid	
London	**Londres**		
Edinburgh	**Edimburgo**	Balearic Islands	**las (Islas) Baleares**
		Canary Islands	**las (Islas) Canarias**

BASIC PHRASES

It's an industrial town	**Es un pueblo industrial**
I live in the North of England	**Vivo en el norte de Inglaterra**
Durham is an historical city	**Durham es una ciudad histórica**
I like the district where I live very much	**Me gusta mucho el barrio donde vivo**
The school is two kilometres away	**El instituto está a dos kilómetros**

HIGHER PHRASES

The countryside is very picturesque	**El paisaje es muy pintoresco**
Can you go for hikes here?	**¿Se pueden dar caminatas por aquí?**
It's a very old town with a castle	**Es un pueblo muy antiguo con un castillo**
What do you think of Madrid?	**¿Qué te parece Madrid?**
Which region have you visited?	**¿Qué región has visitado?**
I've been in Asturias	**He estado en Asturias**

Extracts taken from tourist brochures

Benidorm

La bahía de Benidorm está formada por dos maravillosas playas orientadas al Sur, con un total de siete kilómetros de aguas tranquilas y finas arenas. Su limpieza y escasa profundidad permiten a niños y mayores gozar sin limitaciones de la jornada playera.

Llafranch.—Pequeña aldea formada por un conjunto de casas blancas que descienden desde la montaña al mar; hermosa bahía, con paseo marítimo; playa de excelente arena, de una extensión de medio kilómetro. Al lado de la misma se halla la montaña, faro y ermita de San Sebastián, desde donde se divisa una de las más bellas panorámicas. Puerto deportivo.

Palamós.—11.500 habitantes. Situada casi en el centro geográfico de la Costa Brava, reúne los atractivos de una población activa con los propios de una estación turística. Excelentes instalaciones portuarias hacen de Palamós centro de estas actividades deportivas. Sus playas, de casi un kilómetro, unidas a sus acantilados y bellos parajes hacen de esta villa una centro animado y cosmopolita. Museo (colecciones de moluscos, pintura moderna y cerámica antigua).

13 Weather

BASIC VOCABULARY

weather	**el tiempo**	area	**el área** (f)
temperature	**la temperatura**		
		sky	**el cielo**
area (of the country)	**la zona**	clear	**despejado**
		overcast	**cubierto**
centre	**el centro**	cloud	**la nube**
interior	**el interior**	cloudy	**nuboso**
to be sunny	**hacer sol**	cloudy weather	**la nubosidad**
it is sunny	**hace sol**	mist	**la niebla**
the sun	**el sol**		
to be hot	**hacer calor**	rain	**la lluvia**
to be cold	**hacer frío**	drizzle	**la llovizna**
to be good weather	**hacer buen tiempo**	shower	**el chubasco**
to be bad weather	**hacer mal tiempo**	rainfall	**la precipitación**
to be windy	**hacer viento**	rainy	**lluvioso**
to be cool	**hacer fresco**	to pour down	**llover★ a cántaros (llueve)**
to be foggy	**haber niebla**	to get soaked	**mojarse**
it is foggy	**hay niebla**	soaked	**mojado**
to be cloudy	**estar nublado**	thunder	**el trueno**
it is cloudy	**está nublado**	to thunder	**tronar★ (truena)**
to rain	**llover★ (llueve)**	lightening	**el relámpago** (los nayos)
it is raining	**está lloviendo**	storm	**la tempestad, el temporal**
to snow	**nevar★ (nieva)**	frost	**la helada**
it is snowing	**está nevando**	snowfall	**la nevada**
snow	**la nieve**		
ice	**el hielo**	star	**la estrella**
storm	**la tormenta**	moon	**la luna**
		to shine	**brillar**

HIGHER VOCABULARY

weather forecast	**el pronóstico del tiempo**	to improve	**mejorarse**
climate	**el clima**	improvement	**el mejoramiento, la mejoría**
degree	**el grado**	to deteriorate, to get worse	**empeorarse**
hot	**caluroso**		
sunny	**soleado**	worsening	**el empeoramiento**
mild	**templado**		

(HIGHER VOCABULARY)

drop (in temperature)	**el descenso**	slight	**ligero**
rise (in temperature)	**la subida, el aumento, el ascenso**	moderate	**moderado**
		light	**flojo**
bright spells	**los claros**	strong	**fuerte**
to blow	**soplar**		
changeable	**variable**	day (adj.)	**diurno**
maximum	**máximo**	night (adj.)	**nocturno**
minimum	**mínimo**	morning (adj.)	**matinal**

BASIC PHRASES

What's the weather like?	**¿Qué tiempo hace?**
It's cold and windy	**Hace frío y hace viento**
It rains a lot in the North	**Llueve mucho en el Norte**
Tomorrow it's going to be sunny	**Mañana va a hacer sol**
It's marvellous weather here	**Hace un tiempo estupendo aquí**

HIGHER PHRASES

No way! Not in this heat	**Con el calor que hace, ¡ni hablar!**
According to tomorrow's weather forecast it will be foggy at the coast	**Según el pronóstico para mañana habrá niebla en las costas**
It was so cloudy I couldn't see a thing	**Estaba tan nublado que no podía ver nada**
We didn't go out yesterday because it was raining	**No salimos ayer porque estaba lloviendo**

Weather map from Spanish newspaper

14 Times, days, months, seasons

Days of the week

Monday	**lunes**
Tuesday	**martes**
Wednesday	**miércoles**
Thursday	**jueves**
Friday	**viernes**
Saturday	**sábado**
Sunday	**domingo**
on Monday	**el lunes**
on Saturdays	**los sábados**
next Friday	**el viernes que viene**
last Sunday	**el domingo pasado**

today	**hoy**
yesterday	**ayer**
tomorrow	**mañana**
tonight	**esta noche**
last night	**anoche**
tomorrow morning	**mañana por la mañana**
the day after tomorrow	**pasado mañana**
the next day	**el día siguiente**
two days ago	**hace dos días**

Seasons

season	**la estación (del año)**
spring	**la primavera**
summer	**el verano**
autumn	**el otoño**
winter	**el invierno**
in spring	**en primavera**
in summer	**en verano**
in autumn	**en otoño**
in winter	**en invierno**

Months

January	**enero**
February	**febrero**
March	**marzo**
April	**abril**
May	**mayo**
June	**junio**
July	**julio**
August	**agosto**
September	**setiembre**
October	**octubre**
November	**noviembre**
December	**diciembre**

The day

day	**el día**
morning	**la mañana**
afternoon	**la tarde**
night	**la noche**
in the morning	**por la mañana**
in the afternoon	**por la tarde**
at night	**por la noche**

Date

date	**la fecha**
what's the date?	**¿Qué fecha es?** **¿A cuántos estamos?**
it's the 10th of August	**es el diez de agosto, estamos a diez de agosto**

(BASIC VOCABULARY)

Time

time	**la hora**
an hour	**una hora**
minute	**el minuto**
second	**el segundo**
quarter past	**y cuarto**
half past	**y media**
quarter to	**menos cuarto**
(at) midday	**(a) mediodía**
(at) midnight	**(a) medianoche**
a.m.	**de la mañana**
p.m.	**de la tarde, de la noche**
15 minutes	**un cuarto de hora**
half an hour	**una media hora**
about (time)	**a eso de**
on the dot	**en punto**

Periods of time

day	**el día**
week	**la semana, ocho días**
two weeks, fortnight	**dos semanas, quince días**

month	**el mes**
year	**el año**
next	**próximo, que viene, siguiente**
last	**pasado**

HIGHER VOCABULARY

day before yesterday	**anteayer**
evening before	**la víspera**
day before	**el día anterior**
at the beginning of	**a primeros de, a principios de**
in the middle of	**a mediados de**
at the end of	**a fines de, a últimos de**
a fortnight	**una quincena**
a century	**un siglo**
to be fast (time)	**adelantar, estar adelantado**
to be slow (time)	**estar atrasado, atrasar**
in the very early hours	**de la madrugada**

BASIC PHRASES

What time is it?	**¿Qué hora es?**
It's half past one	**Es la una y media**
It's a quarter to six	**Son las seis menos cuarto**

HIGHER PHRASES

At the beginning of summer	**A principios del verano**
My watch is five minutes fast	**Mi reloj adelanta cinco minutos**